東野圭吾(ひがしの・けいご)
1958年、大阪府生まれ。大阪府立大学電気工学科卒業後、生産技術エンジニアとして会社勤めの傍ら、ミステリーを執筆。1985年、『放課後』(講談社文庫)で第31回江戸川乱歩賞を受賞、専業作家に。1999年『秘密』(文春文庫)で第52回日本推理作家協会賞、2006年『容疑者χの献身』(文春文庫)で第134回直木賞を受賞。近著に『新参者』『麒麟の翼』(ともに講談社)、『真夏の方程式』(文藝春秋)、『マスカレード・ホテル』(集英社)などがある。

カバー装画 村上豊
カバーデザイン 岸顯樹郎

ひ17-4

魔球

東野圭吾

講談社文庫

魔球

東野圭吾

講談社文庫

魔球

東野圭吾

講談社

魔球　目次

魔球

序章

春風が、足元を通り抜けていった。

昭和三十九年三月三十日――。

須田武志はマウンドの上にいた。

ただのマウンドではない。ここに立つには、ある程度の力と、そしてかなりの運が必要だった。

武志はスパイクの底でマウンドの土を二度三度と蹴ってみる。蹴りながら、運の方はここまでかなと呟いた。

ピンチというものを武志は嫌いではない。それは快感を得るための投資のようなものだと思っている。ぞくぞくするような緊張感も悪くない。第一、危機のない道のりには成長の可能性がない。

彼は顔を上げた。そして一息吸ってからまわりに視線を移した。

状況はじつにシンプルだった。

九回の裏で二死満塁なのだ。武志たちの開陽高校が敵の亜細亜《アジア》学園を一対〇でリードしているだけだから、一打逆転サヨナラというところだ。ラジオのアナウンサーが存分に力量を発揮できる場面なわけで、今頃は喉を嗄《か》らさんばかりに弁舌をふるっていることだろう。

武志はもう一度視線を配ってみた。各ベースのすべてに敵のランナーが立っている。どの選手も皆、自軍の野手よりもはるかに大人に見えた。

まいったね、と彼は両手を腰にあてててため息をついた。どこにも逃げ場はなかった。

対戦相手が優勝候補の大阪・亜細亜学園と決まった時、ついていると武志は思った。自分の力を世間にアピールし、プロのスカウトたちの目を見張らせるのに、最高の相手だと思ったからだ。物の大きさを測るには、やはりそれなりのスケールが必要なのだ。

彼の密《ひそ》かな狙いは、つい先程までは成功していた。今朝の新聞でも、今大会の最大の目玉は、大会ナンバーワン投手の須田武志対亜細亜学園の強力打線だと宣伝してくれていたし、試合前にちらっと聞いた話では、何人かのスカウトが足を運んでいるらしいということだった。あとは亜細亜打線をぴしりと抑えこめばいいわけだが、その点も九分九厘まではうまくいっていた。

相手打線は武志の投球に、全くタイミングが合っていなかった。まるで調律されていないピアノを演奏するみたいに、ずれたスイングを延々と繰り返していた。八回までに打たれたヒットは二本、しかもいずれも次打者を内野ゴロ併殺にうちとっていた。残るは九回裏だけ。

しかし武志がマウンド上で鼻歌でも歌おうかと思った矢先、試合の流れが微妙に変わりはじめた。

先頭打者のふらふらと上がったなんでもない小フライを、三塁手がポトリと前に落としてしまった。年老いた犬の小便みたいに気迫も勢いもなく、どうやったら落球できるんだろうと思えるような打球だったが、エラーしたのはまぎれもない事実だった。武志は信じられない気分で三塁手を見たが、三塁手も彼なりに信じられないような表情で、自分のグラブをいつまでも眺めていた。

三塁手はゆっくりと近づいてくると、付着した土をこすりとってから、武志にボールを渡した。「スタンドの白い服が目に入ったんだ」

武志は黙ってボールを受け取ると、三塁手から目をそらして帽子をかぶり直した。三塁手は武志が何か言葉を発するのを待っていたようだが、彼にその意思がないのを知ると、くるりと向きを変えて走り去っていった。そしてまた守備についた。

他の野手たちも、それぞれのポジションに戻っていた。すべてが元の状態に返ったみたいだった。違うのはランナーが出たことだ。

次の打者はバントをしてきた。何としてでも走者を進めるという、教科書的なバントだった。

その次の打者のショート・ゴロを遊撃手がハンブルしたところから、俄《にわか》に雲行きが怪しくなってきた。二塁ランナーはそのままだったが、逆転のランナーが出たことになる。捕手で主将の北岡がマウンドにやってきて内野手を集めた。とにかく落ち着け、勝っているのは自分たちなんだ、一点取られても負けじゃない——。

内野手たちの顔は、恐怖にひきつっているようであり、ふてくされているようでもあった。おそらく両方なのだろうと武志は思った。今までに味わったことのない緊張感と、先程から浴びせかけられ続けている大観衆の声援に、彼等の貧弱な精神は縮みあがっていることだろう。そして、なぜ自分がこんな目に遭わねばならないのかと、腹立たしさを覚えたりしているに違いない。

やがて野手たちは散っていき、またそれぞれの位置についた。

野手が散ったあとの次の打者を、武志は三振にしとめた。だが結果的にこのことは、さらにピンチを招く呼び水になるのだった。二死になったことで野手が気を緩《ゆる》めた直後、絶妙のセーフティ・バントを決められたのだ。

絶妙とはいっても、うまく処理すれば何とかならない打球ではなかった。だが三塁手は金縛りにあったみたいに立ち尽くしたまま、三塁線上を舐めるように転がっていく球を呆然と見送っていた。

歓声が爆発して、球場の真ん中に立っている武志を襲った。地元チームが出ている以上、一塁側も三塁側もなかった。殆どの観客にとって、武志は憎い敵以外の何者でもなかったのだ。

九回二死満塁、一打でれば逆転サヨナラという設定は、このようにして出来あがった。

武志は三塁側スタンドに目を向けた。地元ファン一色で染まった群衆の中のほんの一画に、染みみたいに小さくてみじめな集団があった。千葉の片田舎からやってきた応援団だ。彼等が自分たちの前に下げた垂れ幕に『必勝　開陽高校』と書いてあるのを武志は知っていたが、その垂れ幕が妙な具合にめくれあがって、肝心の文字が今は見えなかった。

一番前に座っているのは校長のヒゲツルだなと武志は思った。今度の大会に備えて新調したという灰色の背広に見覚えがあったのだ。たしか彼は激励会の時にもその背広を着ていたはずだった。ヒゲツルというのは、頭が禿げていて代わりに髭をたくわえていることからついた渾名《あだな》だが、この状況ではその自慢の髭も情けなく震えていることだろうと武志は想像した。

観客の声がさらに大きくなった。

見ると、バッター・ボックスに四番の津山という選手が入るところだった。山のように大きな男で、バットがやけに短く見えた。そして獣みたいな目は、武志に対して憎しみを抱いているかのようだった。

捕手の北岡が、またタイムをかけてやってきた。

「まずいのが出てきたな、どうする？」

マスクを外しながら彼は武志を見上げていった。一メートル七十七の武志に比べて、北岡は数センチ低い。が、その代わりに横幅はある。

「敬遠したいな」と武志は答えた。「ああいうのは苦手だ」

「敬遠したら、押し出しで一点入る」

「そうしたら、もう勝ち目はないだろうな」

北岡は腰に手をあてて武志を睨み、「冗談はよそう」といった。「打たせるか？　三振狙いでいくか？」

武志はちらりと野手の方を見た。さっきエラーした遊撃手と目が合った。遊撃手は目をそらせ、右の拳でぽんぽんとグラブを叩いた。

「やっぱり三振狙いでいくか？」

北岡は武志の気持ちを察したようだった。武志は答える代わりに、ちょっと首をすくめて見せた。

「オーケー」

北岡はマスクをかぶりながら、ホームベースの方に戻っていった。そしてミットを構える前に、右手の人差し指と小指を立てて、「ツーアウト」と大きな声で叫んだ。

ゲームが再び動きだした。

武志は改めてバッター・ボックス上の四番打者を見た。プロ・スカウトに二重丸をつけられているという話だが、たしかに頷《うなず》ける体格をしていた。それに打撃も確かだ。武志が今日打たれた二本のヒットは、いずれもこの男から浴びたものだった。軽く合わされた打球が野手の間を抜けていったわけだが、誰にでも出来ることではない。

武志は北岡のサインに頷き、三塁走者を目で牽制してから、やや早いモーションで第一球を投げた。外角低めに入った球を打者は見送り、審判はやたら力のこもった声でストライクと告げた。緊張しているのは選手や観客だけではないということだ。

二球目、三球目も全く同じところを狙ったが、少し外れているらしく、ボールという判定だった。

四球目は思いきって胸元をついた。津山はそれを待っていたらしく、ものすごい勢いで強振してきた。打球は後方のバックネットに突き刺さるように当たった。タイミングは測ったようにぴったりだった。単に打ちそこねただけなのだ。津山はバットで自分のヘルメットの庇《ひさし》を叩いて悔しがった。

この男には打たれる――武志はそう思った。

それは実力の優劣ではない。今度対戦する時にはどうなるかわからないのだ。だがとりあえず今日は打たれる。そういう人間の力を越えた何かが投手と打者の間には存在すると武志は思っている。

このままでは打たれる――。

その次の球は内角にボールになった。北岡は頷きながら返球してくる。武志の心情とは逆に、計算通りという顔つきだ。

三塁に牽制球を二球ほど投げてからバッター・ボックスを見たが、津山の気迫には変わりはなかった。相変わらず武志を睨みつけてくる。武志はため息をつき、北岡のサインを覗きこんだ。外角低めのストレートを彼は要求していた。

武志は頷き、投球動作に入った。今日に限らず、今まで北岡の指示に逆らったことなど一度もなかった。それは北岡の指示がいつも概《おお》ね正しかったせいもあるが、少々間違った判断をしても打たれることがなかったからだ。

だがこの日は違った。

武志が全神経を集中させて投げこんだボールに、津山の太い腕とバットが襲ったのだ。そのタイミングはほぼ正確で、一瞬ののちには、打球は武志の視界から姿を消していた。

武志は打球が飛んだと思われる一塁線上に目を向けた。一塁手が、ベース後方二、三メートルのところで四つん這いになっている。そしてそのさらに後ろでは、右翼手がファウルグラウンドを転々ところがるボールを呆然と見つめていた。

右翼手のそばでは、線審が大きく腕を上に開いてファウルを告げていた。

球場全体がため息をついた。生暖かい空気がマウンド上を通り過ぎたような気がするほどだった。

北岡が再びタイムを取り、武志に近づいてきた。顔面が蒼白なのが数メートル手前からでもわかる。ベンチからも伝令が出てきた。

「思いきって打たせていけと監督はいっている」

控え投手でもある伝令係は、頰を少しひきつらせていった。

武志は北岡と顔を見合わせた。そして薄く目を閉じたあと、「わかりましたと監督に伝えてくれ」と伝令係にいった。その補欠選手が戻っていったベンチには、甲子園出場など予想もしなかったであろう森川監督の、熊のように歩きまわる姿があった。

「もしも思いきって打たせたりしたら」

グラブの中でボールを弄《もてあそ》びながら武志は北岡の顔を見た。「どうなると思う?」

「監督の立場じゃ、ああいうほかないさ」

北岡は困ったように眉の端を下げた。「詰まらせる自信はないのかい？」

「ジャストミートさせない自信はある」と武志は答えた。「だけどあのゴリラみたいなスイングと打球を見ただろ？　前に飛んだらおしまいだぜ。バックを信頼するといいたいが、みんな自分の所へは飛んできませんようにって顔をしている」

「弱ったな」

「とうに弱ってるよ」

「おまえはどうしたいんだ？」

「そうだな」

武志は自分の指先を見つめ、それから北岡の顔に視線を戻した。「俺の好きなようにしていいのかい？」

「いいさ」と北岡は答えた。

すると武志はボールを掌の中でこねまわした後、グラブで口元を覆い、小声で北岡に自分の意思を伝えた。北岡は怪訝《けげん》そうに眉を寄せた。

「どういうことだい？」

「いいからさ、俺のいったとおりにしてくれないか」

「だけど……」

その時アンパイヤが近づいてきて、早くするように促《うなが》した。それで北岡も決心したらしく、深く頷いた。

「わかった。腹をくくるよ」

北岡がホームに戻り、主審の声がかかった。

武志は深呼吸をした。

九回裏、二死満塁――いつまでたっても、この状況に変わりはなかった。

武志はセット・ポジションで構え、塁上を埋めている走者の動きに注意した。投げると同時に彼等はスタートするはずだった。牽制死のチャンスでもあるわけだが、走者のリードは小さかった。バッターが津山ということもあるが、武志の牽制球の巧さを彼等は知っているのだ。

武志はバッターに集中した。

敵応援団の唸《うな》るような歓声が耳の奥に響いてくる。

かっとばせー　つやま　すーだ　たおせー　おー

「わめけばいいさ」

武志は精神のすべてを込めて、その一球を投げた。

それはハーフスピードのストレートに見えた。

津山の顔が歪み、猛烈なスピードでバットは振りおろされた。もらった――彼はそう思ったに違いない。しかし次の瞬間、彼の身体はバランスを失っていた。渾身の力を込めたはずのバットはボールをとらえることなく、その勢いで彼自身が尻もちをついたのだ。

　津山は空《くう》をきったバットを信じられないという目で見た。

　だがじつは、それ以上に信じられないことが起こっていた。

　ボールは、北岡が構えるミットの前で土埃をたてたかと思うと、あっという間にバックネット付近まで転がっていたのだ。そしてその事実に、当の北岡が気づくのが、コンマ何秒か遅れた。

　武志がマウンドを駆け下りる。北岡はマスクを捨ててボールを追った。一人目の走者がホームインしてくる。

　歓声と混乱。その中で北岡はようやくボールに追いつき、武志の方を振り返った。だがもう武志はグラブを構えなかった。

　北岡もボールを投げなかった。

　二人目の走者がヘッド・スライディングを完了させたところだった。

　狂喜する亜細亜学園チームとスタンド。紙ふぶきの一枚が、立ち尽くす武志と北岡の間を横切っていった。

　北岡が何か呟いたようだった。だが武志の耳に、彼の声は届かなかった。

　武志は腰に手を当て、空を見上げた。灰色の空だった。

　――明日は雨だな
　そして彼は帽子を脱いだ。

挿話

春の選抜高校野球を五日後に控えた月曜日、すなわち三月二十三日――。

東西電機資材部の臼井《うすい》一郎は、朝から腹具合がよくなかった。机の前に座っていても、下腹のあたりが周期的に痛みだし、とても仕事どころではない。それでも始業ベルが鳴った直後に手洗いに立つのは気がひけるので、十分ほど辛抱してから席を立った。

手洗いは資材部の部屋を出てすぐ左にあった。木製ドアの上部にすりガラス窓が入っていて、『男性用便所』とペンキで書いてある。臼井はそそくさと、ドアを押して入った。

中には小部屋が二つある。が、一方の扉には『故障』というはり紙がしてあった。臼井は舌打ちをしながら、もう片方の扉を開けた。この会社の便所はすぐに故障するのだ。

そして臼井はもう一度舌打ちすることになった。彼が入った部屋のトイレットペーパーが切れていたからだ。彼は『故障』のはり紙をしてある方の扉を開け、そこに備えてあったペーパーを外そうとした。

小部屋の隅に黒い鞄《かばん》が置いてあるのに彼が気づいたのは、その時だった。

――何だろう?

修理工の鞄にしては少し変だなと臼井は思った。だが彼はそれ以上は気にかけなかった。この時の彼はそれどころではなかったのだ。

昼過ぎに臼井はまた手洗いに行った。すると依然として『故障』のはり紙がしてある。彼はちょっと気になって扉を開けてみた。あの鞄は、やはりそこに置かれたままだった。

黒く、古びた鞄だった。

この時も彼は少し首を捻《ひね》っただけで、その鞄には触れなかった。

変だな、と彼が思ったのは、三度目に手洗いに行った時だった。こんなに長い間故障のまま放っておかれたことは、今までには一度もない。そして例の色褪せた鞄は今朝と同じ状態で、誰かが触った形跡もなかった。

――誰かの忘れ物なのかな？

臼井は鞄を見回したが、名札のようなものは付いていなかった。

彼は決心して、鞄を開けてみることにした。朝から放置してあるのだから、見られても仕方がないだろうと思った。

鞄のファスナーに手をかけた時、ちょっと不吉な予感が頭をかすめたが、彼はゆっくりと手を動かしていった。

東西電機株式会社本社内に爆弾が仕掛けられたという連絡が島津警察署に入ったのは、この日の午後四時三十分頃だった。仕掛けられていた場所は、五階建て事務本館の三階の男性用便所内である。発見者は資材部資材一課課長の臼井一郎という男だった。

現場から少し離れたところにある会議室で、臼井からの事情聴取が行われた。担当したのは千葉県警本部捜査一課の上原と篠田だった。上原は三十前後で、がっしりした体軀に、鋭い顔つきをしている。篠田の方は彼よりも数年若く、小太りなせいか、どこかおっとりして見えた。

上原が質問し、臼井の答えを篠田がメモするという形で事情聴取は進められた。それによると、臼井が最初に鞄を見つけたのは午前八時五十分頃ということだった。

「あの手洗い付近は人通りが多いのですか？」と上原が訊いた。

「多いですね」と臼井は汗の出ていない額をハンカチでぬぐいながら答えた。「資材部の入り口がすぐそばですし、階段も近いですから……出勤時なんかは特に混雑します」

「出勤時というと？」

「八時四十分が始業ですから、そのギリギリの時刻までは混みあっています」

「その時間帯だと、手洗いを利用する人も多いのでしょうね？」

「多いです」

「するとそんな時に片方の便所が故障していたら、さらに混雑したでしょうね？」

「そうですね。それで、じつはさっき職場の人間と話していたのですが、その頃は故障のはり紙なんかはなかったようなんです」

「なるほど」と上原は頷いた。「そうすると犯人は、八時四十分から五十分までの間に爆弾を仕掛け、はり紙をしたということになりますね」

「ええ、たぶんそうだろうと思います」

幾分確信を込めたような口調で臼井はいった。

「その頃は現場付近の人気《ひとけ》が少なくなるわけですね？」と上原は訊いた。

「それはもう、一番少なくなる時です」

やけに自信に満ちた言い方を臼井はした。「就業開始早々に手洗いに立ったりしたら上司に睨《にら》まれますしね、それに今日は月曜日ですから、五分か十分くらいの朝礼がどこの部署でもありますから」

「ほう……」

臼井の言葉に、上原は考えをめぐらせた。

彼の話からすると、犯人は爆弾を仕掛けるには絶好の時間帯を選んだということになる。それが最初からの計画だったとすると、犯人は多少なりとも内部事情に詳しい人間である可能性が強い。

「ところでそれは制服ですか？」

上原は臼井の上着を指差して尋ねた。白地に、胸のところに『ＴＯＺＡＩ』と赤く刺繍《ししゅう》されている。他の社員も全員同じものを着ていたことに、上原は気づいていた。

「ああ、これですか？　そうです。職服と呼んでいますが」

臼井は自分の上着の刺繍のあたりをつまんで見せた。

「いつ着替えるのですか？」

「出社してすぐです」

「すると始業時には、皆さんが着替え終えているわけですね？」

「そうなります」

「着ていないと目立つでしょうね？」

「目立つというほどではありません。知った顔なら気に留めないと思います。知らない人だと、おやと思うかもしれませんが」

上原は無言で二、三度頷いた。もし内部事情に詳しい人間なら、こんな点を気にしないはずがない。

「あの……」

上原が黙りこんだからか、臼井の方がおそるおそるといった感じで口を動かした。「あれはいったいどうなったんでしょう？　うまく処理されたようですが……」

「あれ？　ああ、爆弾のことですか」

上原は鼻の横を掻いた。鞄の中身が爆弾らしいということになって、従業員全員が建物から避難したり、消防自動車が出動したりして、一時大騒ぎになった。そして全員が見守る中で、爆発物処理班が爆弾を調べたのだ。

「現在調査中ですが、結論からいうと爆発の恐れはなかったようです。といっても、ダイナマイトが何本かつながっているのですから、安全だったともいえませんが」

「あの、爆発の恐れはなかったとは、どういう……」

「それは我々もまだ詳しくは知らないのですよ」

臼井の方からの質問を断ち切るように、上原はぴしりといい放った。

上原と篠田は建物を出て正門へ足を向けた。正門横には守衛室があって、二人の守衛が詰めていた。上原たちが入っていって挨拶すると、年嵩《としかさ》の男の方が応対した。頭は白いが身体は大きく、屈強そうな男だった。東西電機の守衛は元陸軍の猛者《もさ》揃いだという噂を、上原は思いだした。

「社外の人間の出入りについては、どのようにチェックしておられますか？」

上原の質問に守衛は答えた。

「ここで入門許可証を出していますが、その時に身分提示と、来客簿への記入を義務付けています。許可証は、帰りに返してもらいます」

「社内の人間との区別はどのように行っておられますか？」

「基本的には職服を着ていない人には、身分を尋ねることにしております」

「出社時にはどうですか？　社員でも職服は着ていないんでしょう？」

「出社時は無理です。全員に身分の提示を求めていたら混乱してしまう」

そこまでは面倒みきれない、というような響きが彼の口調には含まれていた。

「すると始業時刻以後は、職服を着ていない人が門を出入りする時には、こちらでチェックするわけですね？」

「もちろんそうです」と守衛は少し胸をはったようだ。

「就業時間内に職服を着ている人――社内の人が門を出入りすることは多いですか？」

「それは多いですよ。各地の工場に行く人なんかは、皆ここを通りますから」

「その人たちを呼びとめたりはしないのですね？」

「しませんね」と守衛は、むすっとして答えた。「そこまでやりだしたらキリがない」

「今日の始業直後、ここを出ていった人の顔なんかは覚えておられますか？」

上原が訊くと、守衛はうんざりした顔をして、横にいた若い守衛の方を見た。若い守衛は関《かか》わりたくないといったようすで、じっと手元のノートに目を落としている。

「どうもありがとうございました」

彼等の答えを聞く前に、上原は腰を上げていた。


署に行くと、上原は桑名という班長に聞きこみの結果を報告した。またこの頃には爆弾についての鑑識結果がほぼまとめ上げられていたので、桑名からその説明を受けた。

「いたずらにしては凝っている、というのが所見らしい」

報告書を見せながら、桑名はまずこういった。

「いたずら……とは？」

「犯人には爆破の意思はなかったということだ」

桑名は黒板を引きよせ、チョークを取り上げた。「爆薬と点火装置に分けられるが（図1）、点火装置のスイッチはこういう構造をしていて（図2）、接点AとBが接すると点火するようにな

図１　爆弾構造

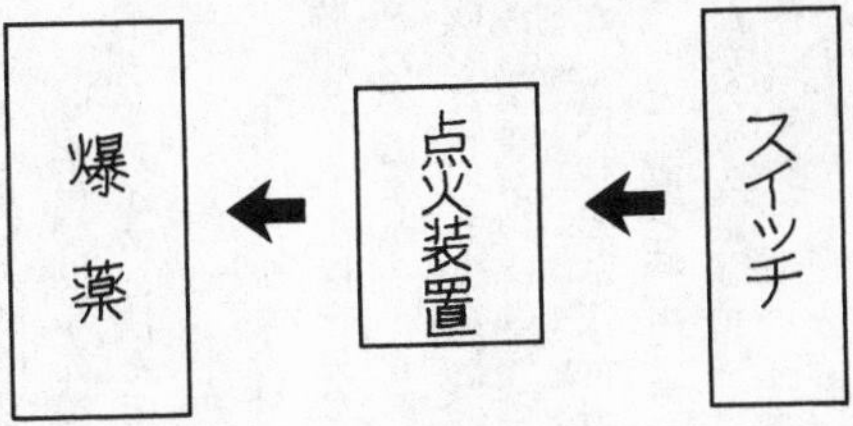

図2　スイッチ構造

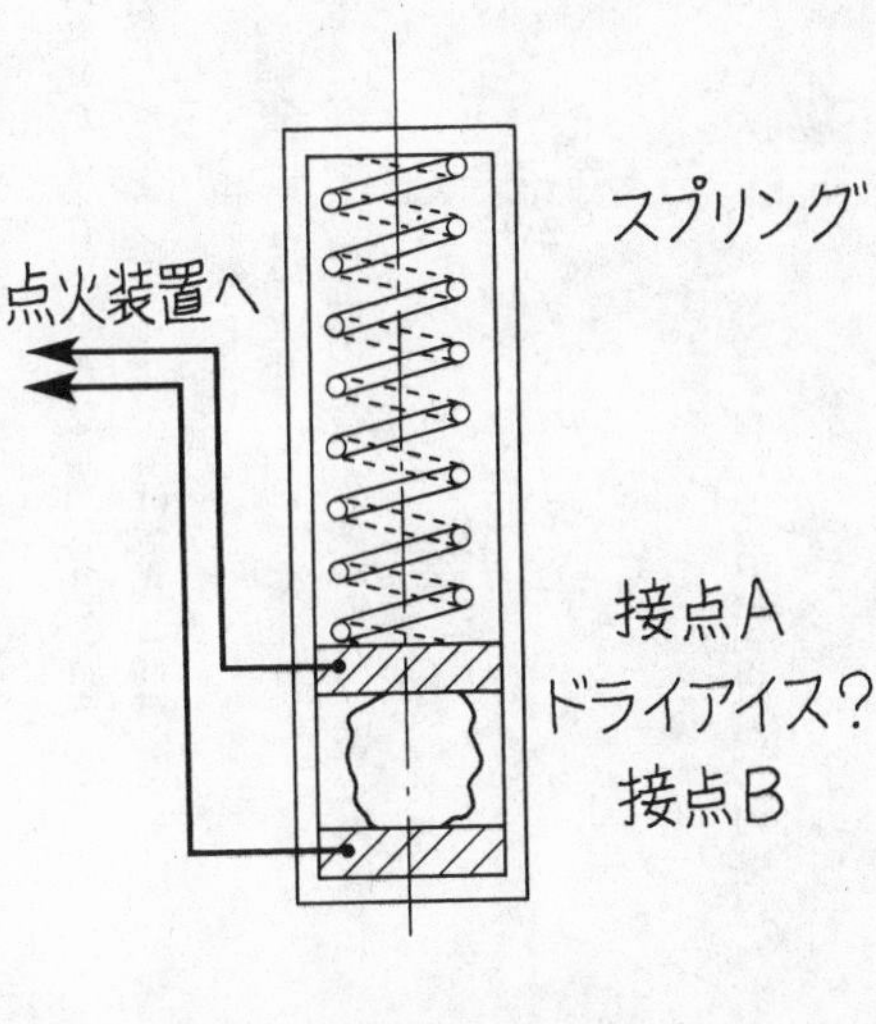

っている」

「おかしな構造ですね」と若い篠田が遠慮がちに口を挟んだ。

「所見によると、単純な時限装置らしい」

そういって桑名は、図中の接点AとBの間に丸いかたまりのようなものを書き加えた。

「ここにドライアイスを挟んでおくと、時間が経てばドライアイスが解けてAとBが接するというわけだ」

「なるほど。ドライアイスの量によって、時間の調整もできるというわけですね」

上原は腕組みをし、図を見ながら感心していった。「で、爆破の意思がなかったというのはどういうことなのですか？」

桑名は咳をひとつしてから、

「つまり接点の間に挟んであったのはドライアイスではなかったということだ」

といった。「代わりにボロ布《きれ》が挟んであった」

「ボロ布？」と上原と篠田は声を合わせていた。

「うむ。だから永久に爆発はしない。凝りすぎたいたずらというのは、そういう点からの感想だ」

「妙ですね」

上原は首を捻った。犯人の真意が摑《つか》めなかった。遊び半分にしても危険過ぎる。それは犯人にとってもいえることだ。

「爆薬については何かわかりましたか？」

上原は質問の方向を変えた。

「出所はこれからだが、爆弾は桐系ダイナマイト六本だ。雷管もついている。詳しくいうと――」と桑名は報告書に目を落とした。「A化成社の新桐系ダイナマイトと六号混成雷管だ。導火線は速燃導火線でN化薬の製品。点火装置は点火薬で包まれた白金線と低圧電源から出来ている」

篠田がそれらを素早くメモする。それを横目で見ながら上原は、「たしかにいたずらにしては出来すぎている」とため息まじりにいった。

「俺もそう思う」

口を歪めて桑名は頷いた。「しかしまあそんなことを考える前に、これらの出所を調べるのが先決だ」

「鞄については何かわかったのですか？」と上原は訊いた。

「製造元はわかっているが、全国に相当出回っているもので、ここから追うのはまず無理だろう。指紋は、発見者のものだけが検出された」

「ふうむ」

上原は首を左右に曲げた。肩のあたりでポキポキと軽い音がした。「自分はやっぱり東西に関係のある人間だと思いますね」

「内部事情に詳しいもの、というわけか」

「そうです。しかも犯人は東西の職服を持っていたはずです。先程もいったように、職服を着ていなければ他の社員に怪しまれますし、守衛の目にも留まりますから」

「元社員か、あるいは現社員か……」

「その知り合いということも考えられます」

「でも、いったい何のためにこんなことをしたんでしょうね？」

ふいに篠田が横からいった。上原は桑名と顔を見合わせた。

それについては二人とも答えようがなかったのだ。


爆弾騒ぎから一週間後、島津駅派出所から、駅付近にいた浮浪者の一人が東西電機の職服を着ていたという知らせが上原たちのところに入った。島津駅というのは東西電機の最寄りの駅だ。上原は篠田と共に、その派出所に向かった。

そこで待っていたのは、天野という若い巡査だった。目が細くて、人の良さそうな顔をしている。

「その浮浪者の話を聞いてみると、一週間前に拾ったといいましたので、例の爆弾事件のことを思いだして連絡しました」

天野は背筋を伸ばし、声まで固くしていった。

「その職服を見せていただけますか？」と上原がいった。

「はい。少しお待ちください」

天野は奥の部屋に入っていった。

上原はそばにあった椅子に腰を下ろした。机の上ではトランジスタ・ラジオが鳴っている。どうやら高校野球の中継らしい。

「開陽の試合ですよ」

篠田がボリュームを少し大きくしながらいった。開陽高校というのがこの地域代表で出場しているのだ。「今日は一回戦で、いきなり優勝候補の亜細亜学園が相手でしょう。クジ運が悪いんですよ」

「でも勝ってるんですよ。一対〇で」

天野が風呂敷包みを手に持って、奥の部屋から現れた。「須田が、さすがという投球をしてましてね、亜細亜も手が出ないっていう状態なんです」

「へえ、それはすごいな」

答えながら上原はラジオのボリュームを少し下げた。彼も開陽高校の須田という名前だけは知っていた。

「本当にすごい投手です。それはともかく、これがその職服です」

天野は上原たちの前で風呂敷をほどいた。中から出てきたのは、どす黒く変色した上着だった。たしかに胸のところに『ＴＯＺＡＩ』という刺繍が入っている。それがなければ東西電機の職服とはわからないだろう。

「これをどこで拾ったと？」

「駅のゴミ箱で拾ったといっております。先週の月曜といいますから、例の爆弾騒ぎのあった日です」

「よく覚えているんですね」と篠田がいった。

「彼等はそういうことはわりとよく覚えています。何曜日に、どの店のゴミ箱にどういうものが捨てられるかまで知っています。大したものです」

天野の口ぶりは、本当に感心しているふうだった。

「すると職服が捨てられたのは、それ以前ということか……」

「前の日曜日か土曜日かもしれませんね」

篠田がいうと、天野がふいに、

「いえ、捨てられたのは月曜日だと思います」

と口を出してきた。かなり自信のこもった口調だった。「連中は毎日ゴミ箱あさりをします。こんないい物が捨ててあったなら、その日のうちに売れてしまうはずです」

「なるほど」

若い巡査の言葉に上原は納得した。たしかにその通りかもしれない。そして、もしこの職服が月曜日に捨てられたものなら、犯人が捨てていった可能性が強いと上原は思った。

「その浮浪者というのはどこにいますか?」

彼は天野に尋ねた。

「すぐ近くにいますよ。指定席といいましてね、彼等には決まった場所があるんです。連れてき

「ましょうか?」

「お願いします」

天野が出ていったあと、上原はそのボロ雑巾のような職服をもう一度点検した。名札などはもちろんついていない。ものすごい異臭がするが、浮浪者が身につけていたせいだろう。

「目に浮かぶような気がするな」

ぽつりと上原は呟いた。「はっ？」と篠田は聞き直す。

「犯人の姿だよ。この職服を着て、堂々と正門から出ていく姿さ」

そういって上原は机の上のラジオのボリュームを上げた。と同時に、アナウンサーの悲鳴のような声が飛びだしてきた。

「逆転っ、逆転サヨナラです。好投須田、痛恨のラストボールになりました」

捕手

1

今すぐにでも水滴が落ちてきそうな雲行きだった。事実殆どの生徒が傘を持参していたし、須田勇樹も自転車の荷台に鞄と一緒に縛りつけていた。

勇樹は自転車にまたがっていたが、ペダルをこいではいなかった。片方の足を地面につけ、前方に目を向けていた。彼だけではなく、回りの生徒たちもそういう姿勢をとっていた。

彼等は堤防沿いの道で止まっているのだった。横に流れているのは、逢沢川《あいざわがわ》という小さな川だ。

この道を真っすぐ行けば開陽高校の門の前に出るのだが、その少し手前で彼等は足止めをくっていた。

事態が普通でないことは明らかだった。数台のパトカーが止まり、大勢の警官が険《けわ》しい顔つきで動きまわっているのだ。そして彼等が張ったロープによって、ただでさえ狭い道が四分の一以下に縮小されており、そのため登校しようとする生徒たちの大渋滞が引き起こされているのだった。

「何があったんだろう?」

勇樹の友人が自転車から降りてぴょんぴょん跳ねた。だが、警官が歩きまわっているだけではかには何も見えないと彼はいった。

やがて警官の誘導で、わりとスムーズに流れるようになった。勇樹は、何かが起こったと思われる現場の横を通る時にちょっと伸びあがってみたが、やはり何も見えなかった。目つきの鋭い男たちが、深刻そうに顔をつきあわせているだけだった。

混乱から抜けだした時、隣にいた生徒たちの話す声が聞こえた。

「殺しだってさ」とスポーツ刈りのその生徒は、ひそひそ声でいったのだ。

「コロシ? 本当かい?」

相手の生徒も小声で返した。そしてそのあとは、二人とも自転車にまたがって行ってしまったので、聞くことはできなかった。

――コロシ?

自転車のペダルを踏みながら、勇樹はその言葉を口の中で繰り返してみた。実感の湧かない言葉だった。その言葉には、彼の知らない大人の匂いが含まれているようだった。

勇樹が二年A組の教室に行くと、仲間たちの話はこのことで盛り上がっていた。彼の席の近くでも、近藤という生徒が中心になって話の輪を作っている。近藤は普段は殆ど目立たない生徒だが、今朝は目が輝いて見えた。

勇樹が他の友人に聞いたところでは、近藤は普通の生徒よりもかなり早い時間に登校したため、まだ混乱が起きないうちに現場を通りかかり、そのおかげで結構くわしい事情が摑めたのだということだった。

近藤の話によると、彼が通りかかった時にはまだ大量の血痕が残っていたらしい。それについて近藤は、

「バケツの水をぶちまけたみたいに飛び散っててさ、それが赤いような黒いような、とにかく嫌な色になって乾いているんだよな」

と表現した。彼は、何人かが唾を飲みこんだようだった。だがさらに皆を緊張させたのは、近藤の次の話だった。殺されたのはどうやらこの学校の生徒らしいといったのだ。

「本当かよ」と誰かがいった。「信じられねえな」

「間違いないと思うよ。現場を通りかかる時、警官がちらっとしゃべったのが聞こえたんだ」

「女生徒かい？」

「さあ、それはわからないな。そこまでは聞けなかったから」

女生徒が乱暴され殺されるという図を、彼等は思い描いたようだった。そういえば最近、通り魔という言葉が頻繁《ひんぱん》に新聞に出ている。

「血が出てたってことは、凶器は刃物か何かだな」

近藤の隣にいた生徒がいった。

「とは限らないんじゃないか。ピストルだって血は出るさ。西部劇見たことないのか」

また別の一人がいった。まわりの二、三人が頷く。

「でもさ、ピストルじゃ、そんなに血は飛び散らないんじゃないのかい？」

「本当かい？」

「よく知らないけどさ、何となくそんな気がするな」

凶器や出血の程度についての知識は、誰も皆同じようなものだったから、この問題についてはこれ以上議論は続かなかった。しばらくして、

「あの堤防って、朝晩は人通りが少ないからヤバイんだよな」

と一人が呟くようにいった。この一言で他人事でないことを思いだしたのか、彼等は複雑な表情を見せて黙りこんだ。

会話が一段落したことを認めると、勇樹は英単語ノートを取り出した。こういうことに時間を取られるほど、自分が暇ではないことを思いだしたからだ。

だが彼のせっかくの向学心も、まもなく教室に入ってきた生徒の一言で中断されることになった。

「物理の森川が刑事と会ってるぜ」

大声でいったのはオンセンという渾名の、小柄な生徒だった。風呂屋の息子なのだ。

「どこで？」と近藤がオンセンに訊いた。

「応接室だよ。入っていくところを見たんだ。森川だったよ、たしかに」

「どうして森川が刑事と会うんだよ」

「知らないよ、そんなこと」

オンセンは口をとがらせた。

森川というのは勇樹たちの物理の教師だった。年は三十過ぎで、昔ラグビーをやったというだけあって、がっしりした体格をしている。生徒たちからの人気も高い。しかしこの時勇樹が気になったのは、森川が野球部の監督をしているということだった。

「森川って、野球部の監督だったよな」

勇樹の動揺を感じ取ったかのように、一人の長身の生徒が彼の方を振り返っていった。バスケット部の笹井という男だった。高校二年のくせに髭が濃く、老《ふ》けた顔だちをしている。

「もしかしたら、殺されたのは野球部員じゃないのか?」

大胆な意見だったが、まわりにいた者たちも頷いた。笹井はその反応に満足したらしく、にやりと笑ってから勇樹にいった。「須田、おまえの兄さんなら何か知ってるかもしれないな」

勇樹は黙ったまま、英単語ノートの整理をしていた。答える気はなかった。笹井が何を望んでいるのか、はっきりわかっていたからだ。

「おい、須田」

笹井が低い声で呼びかけてきた時、同時に皆がばたばたと席につきはじめた。入り口から彼等の担任の佐野が入ってくるところだった。

「ガリ勉が、気取りやがってさ」

悪意に満ちた台詞《せりふ》を残して、笹井も自分の席に戻っていった。

担任の佐野は歴史を教える、日頃は温厚な顔つきの中年男だった。しかし今日は妙に目つきが厳しい。出席を取りながら冗談をいったりすることも多いのだが、今日はそれもなかった。

出席を取り終えた後で佐野は、一時限目が自習であることを告げた。緊急職員会議が開かれるので、とだけ彼は説明した。いつもなら自習と聞いて露骨に喜びの表情を見せる連中も、今日ばかりは殊勝に聞いている。

佐野が出ていこうとした時、前の方から声が上がった。前から三列目に座っている近藤だった。

「誰が殺されたんですか?」

それを聞いた佐野は、いっとき近藤の顔をじっと見つめた。そして全員が息を詰めて見守る中を、つかつかと近藤のところまで歩いていった。近藤は小さくなり、うつむいている。殴られるんじゃないか、と勇樹は思った。だが佐野は何もいわなかった。そのまま教室の中を見回し、「静かに、騒がないように」と注意すると、足早に教室を出ていった。

佐野の足音が遠ざかってから、全員がふうーっと息を吐きだした。特にほっとした表情を見せたのは近藤で、まだちょっと頬のあたりに緊張の色を残しながら、回りの者にしきりに強がりをいっていた。

勇樹は鞄の中からポーの英語本を取り出した。自習の時はこれを読むことにしているのだ。将来は英語を生かした職業につきたい――それが彼の漠然とした夢だった。そのためのステップとして、彼は東京大学に入ることを第一の目標に置いていた。無論勇樹には大学の違いなどわからなかったが、とにかく日本で一番優秀な人間が集まる大学に入っておけば間違いないと、彼は信じているのだ。

そういう夢を目指し、雑音に耳を貸さないことだと心に決めているのだが、今日はその雑音がやけに多かった。勇樹が『黄金虫』を一ページも読み進まないうちに、手元が暗くなったのだ。顔を上げると、笹井が薄笑いを浮かべて彼を見下ろしていた。

勇樹はわざとらしくため息をつき、また本に目を戻そうとした。だがそのページの上に、笹井は二十センチ以上ある掌を置いた。勇樹は下から笹井を睨みつけた。

「ちょっと行ってこいよ」と笹井はいった。「森川が呼ばれたってことは野球部絡みに決まってる。森川は担任を受け持ってねえんだからな。ちょっと須田さんの所に行って、事件のことを訊いてこいよ。どうせ三年生だって今は自習なんだろうしさ」

彼の声を聞いたらしく、何人かがそばに寄ってきた。

「自分で行けばいいじゃないか」と勇樹は怒りを含ませた声でいった。

「俺が行ったって相手にしてくれねえだろ、あの人は。いいじゃねえか、減るものでもなし。行ってこいよ」

「そうだよ、ちょっと行くぐらいいいじゃないか」と横に来た男もいった。「それに須田さんだって、警察に呼ばれてるかもしれないし」

「どうして兄貴が警察に呼ばれるんだよ」

勇樹が食ってかかると、その同級生は口をもごもごさせながら黙りこんだ。そんなようすを見ているうちに、勇樹はうんざりした気分になって椅子から立ち上がった。

「行くんだな?」と笹井が睨みつけてきた。

「こんなやりとりで時間を潰したくないからだよ」

そういって勇樹は廊下に出て、勢いよく戸を閉めた。

開陽高校内はもちろんのこと、この土地の人間で勇樹の兄・須田武志の名前を知らない者は殆どいなかった。夏の県大会で三回戦にすら進んだことのない開陽野球部を、昨年の秋季大会では準優勝にまで導いた投手である。十日程前の選抜大会では、惜しいところで敗れはしたものの、強打の亜細亜学園をほぼ完璧に抑えこみ、スカウトたちの目を釘づけにした。回転のよい快速球と、正確なコントロールは、プロでもすぐに通用するといわれているほどなのだ。

こういう一種の天才を兄に持っていることを、勇樹は誇らしく思っていた。選抜大会が終わった後などは、自分が須田武志の弟ですと書いた紙を持って歩きたいような気分だった。

だが人から兄のことを褒《ほ》められる時、嬉しさと同時に逃げだしたいような焦りを感じるのも事実だった。優秀な兄と比較されて居心地が悪くなるせいではない。誰も武志と勇樹を比較しようなどとは思っていないことを、勇樹は承知している。彼が焦りを感じるのは、武志に比べ、自分の割り当て分をまだ殆ど消化していないことを思いだすからだった。兄の方は二人で取り決めた割り当て分を、順調に消化しているにすぎないのだ。

勇樹は足音を殺しながら二階から三階への階段を上がっていった。三階には、武志のいる三年B組の教室があるのだ。

自習をいいことに騒いでいる二階に比べ、三階は誰もいないんじゃないかと思えるほど静まりかえっていた。おまけに廊下は板ばりなので、いくら慎重に歩いても、勇樹が一歩踏みだすたびに木の軋《きし》む音が響いた。

耳をすませながら廊下を進んでいた勇樹だったが、三年B組の教室のそばまで来ると、どきりとして思わず足を止めた。教室の中から異様な物音が聞こえてくる。よく聞くとそれは、小さな泣き声や洟《はな》をすする音のようだった。勇樹は中腰になって、窓から教室内を覗き見た。このクラスは半数近くが女生徒なのだが、彼女たちの殆どが白いハンカチを目に当てたり、机に突っ伏していたりしていた。男生徒たちはといえば、腕組みをしている者、頬杖をついている者、目を閉じている者と様々だったが、皆一様に沈痛な表情を浮かべていた。

武志は廊下側の最後部席にいた。両手をポケットに突っ込み、長い足を組んだ姿勢で、鋭い目線を宙に漂わせている。

殺されたのはこのクラスの生徒なのだ、と勇樹は思った。彼にそう直感させるほど、この教室は深い悲しみと重い空気で満ちていた。

彼はこんな所に来たことを後悔した。そしてこんなふうに覗いている自分の姿を思い浮かべて、吐き気を催すような嫌悪感を覚えた。

彼は窓からそっと離れ、足音を忍ばせて今来た廊下を戻りかけた。だがその時彼の横で突然戸が開いた。立て付けが悪いせいか物凄い音がし、勇樹は思わず声を漏らしそうになった。

「何しに来たんだ？」

勇樹の頭上で声がした。顔を見なくても、声の主はわかった。

「ちょっと……」

勇樹は顔を伏せたままで口ごもった。うまい言い訳は思いつかなかった。

「俺に用か？」

「うん」と彼は頷いた。

武志は少しの間黙っていたが、やがて勇樹の腕を掴むと、「こっちへ来い」といって歩き出した。凄い力だった。勇樹は階段の踊り場まで引っ張っていかれた。

「何だ、用って？」

武志は勇樹に横顔を見せたまま訊いてきた。適当な嘘が見当たらなかったので、仕方なく勇樹は笹井たちとのやりとりを兄に白状した。

「くだらん奴らだな」

武志はうんざりしたように吐き捨てた。だがその口調には、心なしかいつもの迫力がなかった。

「いいんだ、ごめん」

勇樹は階段を下りようとしたが、背中から、「ちょっと待てよ」と武志の声がして立ち止まった。

「北岡だよ」と武志はいった。無造作な言い方だった。

勇樹は兄の顔を見たまましばらくぼんやりとしていた。言葉の意味が、うまく頭に入っていかない。「北岡さんが？」と彼は訊き直していた。

「殺されたんだ」と武志はきっぱりといった。「あの北岡が殺されたんだよ」

「まさか」

「本当だ」

そういって武志は階段に足をかけた。そして弟の方をちょっと振り返って続けた。「さあ、わかったら教室に帰れ。余計なことに気を取られるな。おまえには、ほかにやるべきことがあるはずだろう」

「だけど……」

「おまえには関係がない」

いい捨てると、武志は階段を上がっていった。勇樹はその後ろ姿を見送ったあと、息苦しいような混乱を覚えながら階段を下り始めた。

2

北岡明の死体が発見されたのは、四月十日金曜日、早朝の五時頃だった。発見者は、毎朝堤防沿いの道を通っている中学二年の新聞配達少年だ。いつものように逢沢川の上流から下流に向かって走っていたところ、道の脇で倒れている死体を見つけたらしい。

捜査員が現場に到着したのはそれから約二十分後だった。現場では、新聞配達の少年と開陽高校の用務員が、死体から百メートル以上離れた場所で彼等を待っていた。少年は死体を見つけたあとすぐに開陽高校に駆け込み、彼から事情を聞いた用務員が警察に連絡したのだった。用務員は近所から通勤しているが、死体のあった道は通らないらしい。

死体の身元はすぐにわかった。用務員が野球部の北岡だと証言したからだ。開陽高校の最近の看板である野球部員の顔なら、彼は全員知っていたのだ。

北岡明はグレーのセーターに学生ズボンという服装で、草むらに向かってうつ伏せになって倒れていた。腹部を刃物で刺されたらしく、そこから大量の血が流れだしていた。

また捜査員は、彼のほかにもう一つの死体を発見していた。北岡の死体のすぐそばに、七十センチぐらいの雑種犬が死んでいたのだ。首のつけねのあたりを鋭く切られており、ここからもかなりの量の血が流れ出ていた。見つけられた時には、全身の体毛がべっとりと血で固まっていた。

「おかしな状況だな」

煙草に火をつけ、本日の一服目を味わいながら県警本部捜査一課の高間は呟いた。安眠中を叩き起こされただけに、まだ頭が重い。目も少ししょぼしょぼする。しかも、年は三十過ぎだが独り暮らしなので、こういう時は朝飯抜きを強いられる。

「被害者の犬のようですね」

隣にいた後輩の小野が、犬の首輪とそれにつながっている紐を指差していった。「被害者は犬を連れて散歩の途中だったのかもしれませんね」

「夜の九時や十時に散歩か？　しかも高校生が」

所轄署の鑑識課員の話だと、死後硬直や死斑の状態から死後経過七、八時間と推定されている。解剖の結果次第で変わる可能性もあるが、このままだと昨夜の九時から十時頃が死亡推定時刻ということになる。

「別に珍しいことじゃないですよ。それよりも、どうして犬も一緒に殺されているんでしょうね？」

「被害者を刺したところ、犬が騒ぎだしたので殺したってところかな」

「残酷な神経ですね」

「人を殺すほどの人間なら、犬を殺すぐらい何でもないだろう」

「それはそうですが」

このあと高間たちの班長である本橋がそばに寄ってきて、「ごくろうさん」と声をかけてきた。本橋は白髪頭の、刑事というよりは学者に見えるタイプの中年だ。

「早いですね」と高間は感心していった。

「ついさっき来たところだよ」といって本橋は欠伸《あくび》をひとつした。

本橋の話によると、現在のところ周辺からは凶器は見つかっていないらしい。凶器は厚みのないナイフのようなものと推定されているが、犯人が持ち去ったと考えるのが妥当なようだ。

また、北岡明の両親がすでに駆けつけてきており、彼等からの事情聴取も一応済んでいるということだった。話によれば、母親の里子は気が狂ったように泣き叫ぶばかりで、しばらくは話を聞ける状態ではなかったようだ。それでも何とか父親の久夫を通じて聞き出したところでは、北岡明は昨夜九時頃、森川教諭のアパートに行くといって出たきり帰ってこなかったということだった。

「森川というと、野球部の監督の？」

高間がいうと、本橋はふいをつかれたような顔になった。「よく知っているな」

「高校時代の同級生ですよ。自分もじつは開陽を出たんです」

「ほう、それは偶然だな。今でも付き合いはあるのか？」

「以前はよく会いました。最近はやや疎遠になっていますが」

「それなら都合がいいな。小野と一緒にその先生から話を聞いてくれ」

わかりました、と答えながら高間は複雑な気分を味わっていた。刑事になって十年ほどになるが、知り合いが絡んだのはこれが初めてだった。しかも森川といえば、一緒によく遊んだ仲だ。

「ところで被害者は何か盗まれているんですか？」

高間が訊いた。

「いや、両親から確認したところでは取られたものはないようだ」

「ほかに傷は？」

「それもない。ただ地面を見ると、争ったんじゃないかと思えるような跡が残っている。犯人像は、今のところちょっと摑めないな」

そういって本橋は眉間《みけん》を寄せ、学者ふうの表情を見せた。

登校時刻になると、俄に堤防を通る生徒が多くなってきた。高間と小野の二人は、彼等に混じって開陽高校の方へ歩きだした。

「開陽の監督が高間さんの御友人だとは知りませんでした」

歩きながら、感心したような口ぶりで小野がいった。

「選抜の頃はちょうど忙しくて、話題に出す機会がなかったからな」

「開陽を甲子園に出したんですから大したものですよね。でも、北岡捕手がいなくなったとなると辛いでしょうね。須田の球を満足に受けられる選手がいないんじゃないかな」

「天才須田か。その投手が凄いらしいな。自分はあまりよく知らないんだが」

「凄いですよ。剛速球というのは、ああいうのをいうんでしょうね」

「くわしいな」

「好きなんですよ、野球が」

「たしか巨人びいきだったな」

「まあそうです。今年の楽しみは王が三冠王を取れるかどうかでしてね。今年も例の一本足をやってるんですが、調子は良さそうです。問題は打率ですね。長島と江藤がいますからねえ」

小野は本当に楽しそうだった。

学校の受付に行って用件を告げると、少し待たされたのち二人は女子事務員に応接室まで案内された。南に面した、日当たりのいい部屋だった。高間は窓際に立ち、かつて彼がラグビー部員だった頃に、タックルの練習を繰り返した愛すべきグラウンドを眺めた。彼の記憶にある情景と何ら変わりはないはずだが、今日は妙によそよそしく見えた。

間もなく現れたのは校長の飯塚という男だった。頭は見事に禿げ上がっているが、鼻の下に蓄えた髭はなかなかのものだ。

彼に続いて体格のいい、よく日焼けした男が現れた。男は高間を見て、おやという顔をした。この男が森川なのだった。

長々と挨拶を述べた後、飯塚は自分も同席していたいのだがという希望を述べた。だが高間はやんわりと断ることにした。

「なるべく、お話は別々に伺いたいんですがね。森川先生の発言に微妙な影響を及ぼさないともかぎりませんし」

「そうですか。いや、そういう御心配は無用だと思うのですが」

飯塚は少し未練ありげだったが、それでもそれ以上強くはいわず、よろしく頼むよと森川に一言いってから部屋を出ていった。

高間は椅子に座り直し、森川の方を向くと、「久しぶりだな」といった。

「一年ぶりぐらいかな」と森川は答えた。低いが、よく通る声だった。「今度の事件を担当しているのかい？」

「まあな」

高間はゆっくりとした動作で、背広のポケットから手帳を取り出した。「大変なことになったな。驚いただろう？」

「まだ信じられないくらいだよ」と森川は首をふった。

「心当たりは？」

「全然」

「両親の話によると、北岡明は昨夜おまえのアパートに行くといって家を出たらしいが」

「らしいね。昨夜十一時頃母親から電話があったんだ。まだ帰らないんだが、といって……」

「北岡はおまえの所に行くことは行ったのか？」

「いや、来なかった。来るという話も聞いていなかった」

「じゃあ北岡は家の者に嘘をついたのだろうか」

「それはないと思う。北岡は時々アパートに来たが、事前の連絡がないことも多かったんだ」

すると北岡明が襲われたのは、森川のアパートに向かう途中だったということになる。

「おまえのアパートは、たしか桜井町だったな」

「そうだよ」と森川は頷いた。

北岡明の家がある昭和町は逢沢川の上流、桜井町は下流にあるから、彼は堤防沿いの道を上流から下流に向かって歩いていたわけだ。

「北岡明は、昨夜なぜおまえのアパートに行かなければならなかったのだろう？」

高間が訊くと森川は少しの間だけ考えこんでいたが、やがてまた首を横にふった。

「わからないな。練習方法だとか、試合のメンバーなんかの相談をするために来ることが多かったけど、昨日は特に思い当たらない」

「彼が訪ねてくる時は、いつも九時だとか十時だとかいう時間帯なのか？」

「いや、いつもはもっと早い時間だね。でも、結構遅かったこともないわけじゃない」

「九時から十時の間、おまえはずっと部屋にいたのか？」

「ああ、いたよ。夜はずっといた」

「証明できると助かるんだがな」

軽い調子で訊いたのだが、森川の顔には少し緊張の色が滲《にじ》んだ。アリバイを尋ねられたという意識が、そういう変化を引き起こしたのだろう。

「いや……残念ながら一人だったな」

「そうか。いや、確認だからいいんだ。気にしないでくれ」

ここでも高間は軽い口調を心がけた。

それにしても結局昨夜の北岡明の行動には、特別不審な点はなかったということなのだろうか？　しかし高間は何か釈然としないものを感じた。

「彼のまわりの人間関係はどうだったのだろう？　特別問題はなかったのかな？」

「それはつまり」と森川は露骨に不快さを表《おもて》に出した。「彼を恨んでいた者がいたかどうかということなのかな？」

「そういうことも含めてだよ」と高間はいった。

するとる森川は大きなため息をひとつついた。

「北岡は大した奴だったよ。野球センスという点でもそうだったけど、統率力や指導力も並のものじゃなかった。相手を見て、相手に合った対応をするんだ。甲子園に行けたのは須田の剛速球があったからだと世間はいうが、北岡が主将じゃなかったらまず無理だっただろう。野球だけじゃないさ。北岡の人をまとめる力はあらゆる面で際立っていた。そんなあいつをどうして恨むはずがあるんだ?」

「逆恨みということもある。恨まれるのと人間性とは関係ないからな」

論外だ、といわんばかりに森川は掌を振って見せた。

だが高間は、完璧な人間の方が案外深い憎しみを受けている場合がある、という定説を捨てる気にはなれなかった。

「部員の中で、彼と一番親しかったのは誰かな?」と高間は訊いた。

「それはやっぱり須田だな」と森川は即座に答えた。「北岡と対等以上に話せたのは彼だけだし、同じクラスでもあるはずだから」

「会ってみたいな」

「それはいいと思うけど、校長が何というかだな」

高間は隣の小野に目くばせした。それで察したらしく、小野は交渉のために部屋を出ていった。室内は、かつてのラガー仲間だけになった。

「おまえが野球の監督をしていると聞いた時は驚いた」

煙草を吸いながら高間はいった。

「最初は特に力を入れていたわけではないんだ。だけど、最近になって猛烈に面白くなってきた。やり甲斐もある」

「甲子園にも行ったし、か」と高間は煙を吐いた。

「須田と北岡がいれば誰が監督をしても行けたといわれてるがね。あとは夏の全国大会で甲子園に出るのが最大の夢だったが……」

ふいに現実の事件のことを思いだしたらしく、森川は口を閉ざし唇を噛んだ。

しばし沈黙の時が流れた。

「彼女は元気にしているかい？」

森川から目をそらせ、灰皿の中で吸い殻をもみ消して高間はいった。出来るだけ何気なくいったつもりだが、やはり声の調子が少し変わった。

「えっ？　ああ……」と森川もややいい淀んだ。「元気にしているよ」

「そうか」

高間はまた煙草を一本取り出して口にくわえると、それには火を点《つ》けず、じっと窓の外のグラウンドを見つめていた。

小野が交渉を終えて戻ってきたのは十五分以上経ってからだった。まず須田武志や北岡明らの担任である久保寺という男が入ってきて、生徒を刺激したり傷つけたりすることのないようにと釘を刺した。かなり気を使っているようすだ。

高間は大丈夫であると断言し、生徒から話を聞く時には教師たちは席を外してほしいといった。久保寺はかなりためらっていたが、結局諦めて森川と一緒に部屋を出ていった。

彼等が出ていって数十秒してから、乾いたノックの音がした。「どうぞ」と高間が返事をすると、すっとドアが開いて一メートル八十近くありそうな、長身の学生服姿が現れた。

瞬間高間はこの青年に、なぜか病的な印象を受けた。野球部にしては色の黒い方ではない。切れ長の目は充血していて、どこか翳《かげ》りを帯びている。また、想像したよりもずっと大人びていると高間は感じた。

須田は引き締まった身体をくの字に折り曲げると、「須田です」と挨拶した。妙に気負いこんだところがなく、非常に自然で彼に似合って見えた。

高間は彼が椅子に腰かけるのを見届けると、

「選抜では惜しかったね」

と表情を和《やわ》らげて話しかけた。選抜大会は、去る五日に徳島海南高校が優勝して幕を閉じている。「最近の調子はどうだい？」

「まああでした」と彼は答えた。「昨日までは」

この言葉に高間は思わず隣の小野と顔を見合わせた。武志の方は無表情だ。

高間は咳払いをした。「北岡君、大変だったね」

「…………」

武志は何かいったのかもしれない。だが高間には聞こえなかった。膝の上に置かれた拳が、固く握りしめられているのがわかった。

「何か心当たりはないかな？」

「…………」

「最近の北岡君のようすで、何か変わったことだとか、目立ったことだとか……思いだせないかな」

するとと武志はちょっと怒ったような顔つきになって目をそらした。

「俺はあいつの恋人じゃないですからね。そんなに細かいようすまで観察してるわけじゃない」

意外な反応だった。

「しかし彼は君の女房役だったろう？　例えばリードの仕方なんかに、その時の心境なんかが反映されたりするんじゃないかと想像するんだが」

刑事の台詞に、彼は小さく吐息をついた。

「心境でリードされたんじゃたまらないな」

高間は一瞬返す言葉を失い、この天才と呼ばれる若者の目を見つめた。彼の目は、何か全く別の世界を見ているように感じられた。

作戦を変更することにした。

「昨夜北岡君は、森川先生のアパートに行く途中襲われたと見られている。ところがなぜ先生のところに出かけていったかが不明なんだ。その理由について、君は何か知らないかな？」

だが武志は全く表情を動かさずに首を振った。

「主将と監督が何を話しているかは、俺たちにはわかりませんね。練習試合のメンバーのことかもしれないし、部室の大掃除の日程を決めたかっただけかもしれない」

どうせつまらない相談をしているのだ——そういう響きが彼の言葉の中に感じられた。

「彼は主将としてはどうだったのだろう？」と高間は訊いてみた。

「よくやっていたんじゃないかな。少し真面目すぎるところもありましたが」

「真面目すぎるって？」

武志は首を少し横に傾けた。

「一人一人の意見を尊重しすぎるんですよ。そんなことしてちゃ、キリがないのに」

「何か揉めたことがあったのかな？」

「少しはあったんじゃないかな。俺はあまり関わったことありませんけど」

「最近ではどういうことがあったかな？」

高間が訊くと、彼は「さあ」と気のない返事をした。

「ほかの部員に訊いた方がいいと思いますよ」

高間は黙って武志の顔を見た。武志の目も彼の方を向いていた。だが相変わらずその視線は、どこかもっと遠くに注がれているようだった。

高間はこのあと、他の部員たちの北岡に対する評判や、クラスでのようすなどについて質問したが、武志の回答は万事がこの調子だった。君以外に親しかった友人は誰かという問いかけについては、自分だって特に親しかったわけではないと答えた。

最後に高間は、昨夜の九時から十時の間はどこにいたのかと尋ねた。出来るだけ何気なく訊いたのだが、やはり武志の顔つきは少し険しくなった。

「関係者には全員尋ねることになっているんだよ」と高間は宥《なだ》めるようにいった。「森川先生にもお訊きしたんだ。先生は御自宅におられたということだった」

「俺だって家にいましたよ」と武志は答えた。

「誰かと一緒だったかい？」

武志はちょっと考えただけですぐに、「いいえ」といった。高間もそれ以上は訊かなかった。

一礼して応接室を出ていく武志の背中を見送りながら、高間は何か訊き忘れたことがあるような気がして仕方がなかった。

3

武志が刑事と会っていたという噂は、すぐに勇樹の耳にも入ってきた。四時限目の数学の自習時間のことだ。おしゃべりな友人がわざわざ教えてくれたのだ。

だが武志が呼ばれるだろうということは予想がついていたので、勇樹はさほど驚かなかった。野球部でクラスが同じで、しかもバッテリーを組んでいたとなれば、これほどの参考人はいないだろうと思えたからだ。

勇樹が初めて北岡の名前を知ったのは、武志が開陽高校に入って一週間目のことだった。当時勇樹は中学三年になったばかりだった。

その日帰宅した兄の機嫌がいいことを、勇樹はすぐに見抜いた。普段あまり感情を表に出さない武志が、珍しく軽口を叩いたりしたのだ。勇樹が理由を訊くと、武志は上機嫌で、今日新しい捕手が入ってきたのだといった。彼が弟に野球の話をするのは珍しかった。

もちろん、捕手が入ってきたぐらいで武志がこんなに浮かれるはずがない。その捕手が優秀で、自分とコンビを組むのにふさわしいと、武志が判断したからに違いなかった。

これにはじつは事情がある。

この一週間前、武志が入部したということで、開陽野球部は俄然《がぜん》活気づいた。天才須田の名前は、中学野球界でも鳴り響いていたからだ。ところが喜んでばかりはいられないことに皆は気づいた。彼の球を満足に受けられるものがいないのだ。というより、正捕手だった三年生部員が転校した直後で、まともな捕手が一人もいなかった。内外野から何人かが選ばれて練習していたが、武志が力を完全に発揮することは到底無理だった。

この頃の武志のようすを勇樹はよく覚えている。重い足取りで帰ってくると、無言で食事を済ませる。そしてグラブとボールを持って近所の神社まで行くと、一人で投球練習をするのだ。石の鳥居にくくりつけた籠に向かって投げるだけの単純なものだったが、武志にいわせると、この方がよほど練習になるのだということだった。

そういう状態だったから、名門中学で捕手をやっていたという北岡の入部は、何よりも嬉しいことだったのだ。

そしてこれ以後、須田・北岡バッテリーは常に開陽野球部の翼であり続けた。その年の夏の大会では、万年一回戦敗退の開陽を三回戦まで引っ張ったし、昨年夏には準決勝にまで導いた。さらに秋には甲子園代表校を破る金星をあげ、今春の選抜出場権を得たのだった。

ところがその翼の一方がもぎ取られてしまった。

今の武志の心境を察すると、勇樹も胸が痛くなった。


昼休みに弁当を食べ終えると、勇樹はすぐに体育館に足を向けた。武志がいつも体育館横の桜の木の下で寝転んでいることを知っているからだ。

勇樹が行ってみるとやはり彼はいた。左手を枕にして芝生の上に寝そべり、右手で軟式テニスのボールを握っていた。握力をつけるために、ということらしい。

勇樹が近づくと、武志はちらっと彼の方を見ただけで、またすぐに空に目を戻した。勇樹は黙って彼の横に腰を下ろした。まだ四月だが、ちょっと汗ばみそうな陽気だ。

「刑事に呼ばれたんだって？」と彼はためらいがちに尋ねた。

武志はすぐには答えず、掌の中でテニスボールを五、六回揉んでから、

「大したことじゃない」

と面倒臭そうに答えた。

「犯人、わかりそうかな？」

「そんなに簡単にわかるわけないだろ」

「……そうだな」

刑事にどんなことを訊かれたのか知りたかったが、どう尋ねればいいのか勇樹にはわからなかった。大したことでないなら、いう必要がないと思っているだろうし、重大なことなら隠そうとするだろう。兄がそういう性格だということを、勇樹は何年も前から知っている。

「北岡さん、なぜ殺されたのかな？」

思いきって訊いてみた。だが武志は黙ったままだった。

「兄貴には心当たり――」

「ない」

ぶっきらぼうな言い方だった。

勇樹はちょっと困ってしまったが、やがて諦めて、武志の横にごろりと横になった。もういいや、という気持ちになった。だいたい詮索することはあまり好きではないのだ。それよりも黙って横で寝ている方がよかった。こうして武志と一緒にいると、勇樹は不思議な安堵感を得られるのだ。

「刑事にな」

だがやがてぽつりと武志の方から口を開いた。「アリバイを訊かれた」

「アリバイ？」

驚いて勇樹は問い返した。推理小説の一節が頭の中に浮かんだ。アリバイを訊くということは、この兄が疑われているのだろうか？

「関係者全員に訊くんだってさ。監督にも訊いたらしい」

「それで何と答えたんだい？」

「昨夜の九時から十時の間どこにいたかって訊くからさ、家にいたって答えたよ。ほかに答えようもないだろ」

「そうだね。――九時から十時の間か……」

自分はどうだったかな、と勇樹は考えた。その頃なら銭湯に行っていたかもしれない。まさかとは思うが、警察に尋ねられたら厄介だなと少し憂鬱になった。

それにしても、いったい何のために関係者のアリバイを訊くのだろうと、彼は腹立たしくなった。北岡を殺して得をする人間や、彼を恨んでいる人間などいるはずがないと信じている。

「北岡さんは頭のおかしい人間に襲われたんだよ。それしか考えられないよ」

勇樹は断言した。武志は何もいわず、テニスボールを握る運動を繰り返していた。


勇樹が教室に戻ると、午後からは平常通りの授業が行われるらしく、五時限目の古文の教師である手塚麻衣子がすでに来ていた。黒いスカートに白のブラウスという服装はいつもの通りだ。年は三十前だという話だが、まだ二十代前半に見えるほど、みずみずしく白い肌をしている。勇樹たちのクラスは男子クラスなので、彼女が来るのを楽しみにしている生徒も多い。「二、三人で襲っちまおうか」などと、過激な冗談をとばしている連中もいた。彼等の口調には、本気ともとれる部分がいくつかあった。

彼女を囲んで小さな輪ができていたが、どうやら事件のことを話しているようだった。進行役は例によって近藤だ。憧れの手塚教諭と話せるのが嬉しいらしくて、額まで赤くしてしきりに何事か力説していた。

「目撃者はいないの？」

彼女の言葉に勇樹も顔を上げた。妙に真剣味を帯びていたからだ。

「いないんじゃないかな」と近藤はいった。「だって、目撃したらすぐに警察に届けるでしょう？」

「だから事件の現場そのものじゃなくて、近くで怪しい人影を見たとか」

「さあ、警察のことだから、そういうことは調べてるんじゃないかな」

それから近藤は、応接室の前で見かけた刑事は、やけに目つきが悪くて怖かったというような話を始め、話題はそちらの方に流れていった。

放課後になると報道関係者や警察官の姿は殆どなくなり、堤防沿いの道も登校時のようなことはなかった。勇樹は現場付近を通る時、自転車から降りて歩いてみた。近藤がいっていた乾いた血痕は見つからなかったが、チョークで描かれた人型があった。うつ伏せか仰向けかはわからないが、それは万歳をしたような格好だった。女生徒が二人、その絵を見て何事かひそひそいいながら、足早に通り過ぎていった。

人型のそばに、これよりかなり小さな図形がもう一つあった。何の形だろうと勇樹が見方をいろいろ変えていると、近くの草むらでガサリと物音がした。彼が驚いてその方を見ると、背広の袖をまくった男が堤防の中腹のあたりで立ち上がったところだった。肩幅が広く、精悍な顔つきの男だった。男は片手に手帳を持っていたが、もう一方の手で上着やズボンのポケットをしきりに探っている。

勇樹は察すると、鞄を開けて筆箱からHBの鉛筆を取り出した。そして、「どうぞ」と上から声をかけた。男はちょっと驚いたようだが、間もなく白い歯を見せて堤防を上がってきた。

「ありがとう。ペンをどこかに落としたらしい」

男は借りた鉛筆で手帳に何か記入していたが、返す時に勇樹の顔を見て、少し目を丸くした。

「失礼だけど、君の名前は?」

「須田勇樹です」と勇樹は答えた。「武志の弟です」

男は、やっぱりという顔をした。

「なるほどね。よく似ている」

勇樹は嬉しくなった。武志に似ているといわれるのが好きだった。

「刑事さんですか?」と彼は訊いた。

「うん、まあね」

刑事は煙草をくわえ、マッチを二、三回擦って火をつけた。乳白色の煙が勇樹の目の前を通過した。

「これ、何ですか?」

勇樹は足元の小さな図形を指差した。

「犬だよ」と刑事は答えた。「北岡君の愛犬で、マックスというらしい。よくかわいがっていて、出かける時にはいつも連れていったらしい。その犬も殺されていたんだ。首根っこを切られてね」

刑事は右手で首を切るしぐさをした。

「どうして犬まで……」

「わからない。犯人は犬が嫌いだったのかもしれないね」

勇樹は刑事の顔を見上げた。冗談をいったのかと思ったのだ。だが刑事は笑ってはいなかった。

「犯人は通りがかりの暴漢かなんかでしょう？」

勇樹は水を向けてみた。刑事はうまそうに煙草を吸ったあと、小さく頷いた。

「その可能性は強いね。計画的な犯行と考えた場合、あの時間に北岡君がこの道を通るということを、どうやって犯人が知ったかという点が問題になるからね。この道は夜になると殆ど人通りがないらしいから、暴漢の仕業と考えるのが妥当なのかもしれない。ただ、盗まれたものはないんだ」

「頭のおかしい暴漢だったんですよ」と勇樹はいった。「北岡さんと知って殺したなんて、絶対考えられないな。僕は兄貴を通じてしか知らないけれど、あの人が素晴しい人だってことはわかります。何しろあの兄貴が信頼していたんですから。生半可《なまはんか》では兄貴の捕手は務まりません」

思わず口調が熱っぽくなっていた。刑事は煙草を吸いながら、興味深そうな視線を向けてくる。勇樹は少し照れ臭くなって下を向いた。

「君は野球はやらないのかい？」と刑事は訊いてきた。

勇樹は少し躊躇してから、「僕は才能がないから」と答えた。

「才能？　誰だって練習すればうまくなるさ」

「だめなんです。そんな程度なら、その分勉強して一流大学を目指した方がいいんです」

「どういう意味だい？　そりゃあ勉強も大事だろうが」

「だから何ていうか……遊びで野球を出来るほど、贅沢な身分じゃないってことなんです。兄貴が野球をしているのは、道楽じゃないんです。生きる手段なんです。で、兄貴にはそれだけの才能があるけれど、僕にはない。だからその分勉強して、一流大学一流会社に入った方がいいんです。そういわれたんです」

「いわれたって……誰に？」

「兄貴にです」

その時のことを勇樹ははっきりと覚えている。彼が中学に入った時だ。その頃二年生だった武志は、すでに天才の片鱗《へんりん》を見せていて、中学球界で注目を浴び始めたところだった。そんな兄に憧れた勇樹も、中学で野球部に入ることを望んだ。しかしその時武志はきつい口調でいった。

「おまえ、自分のこと野球がうまいと思うのか？」

「思っていないけど、練習してうまくなるよ」

「だめだ。ちょっとうまい程度じゃだめだ。俺は、将来これで食っていけるように野球をしているんだ。おまえ、うちの家が貧乏だってことわかるだろ？　グローブだって高いんだ。遊びで野球やれるほど金持ちじゃないんだよ。なあ勇樹。おまえ、頭がいいだろ。頭で稼げればそれが一番いいんだよ。おまえは勉強して偉い人になれよ。俺はプロの選手になるからさ。二人でお袋に楽をさせてやろうぜ」

兄のいっている意味がわからなくはなかったが、すぐには勇樹も納得できなかった。それでしばらくは練習を見学することになったが、その初日で勇樹は武志のいうとおりにすることに決めた。

武志の練習量はすさまじかった。どうしたらあんなに身体を動かし続けられるのだろうと思うほどだった。そうして、それがつまり「遊びではない」ということなのだと解釈するしかなかった。

武志は野球、勇樹は学問という割り当てが、この時に決まった。以来勇樹は、ひと一倍勉強に力を注ぐようになった。野球における武志のレベルに匹敵《ひってき》するには、並大抵の努力では不足だったのだ。

「僕たち兄弟にとって野球も勉強も、将来のための準備の一つなんです。だから遊び気分ではできないんです」

勇樹がいうと、刑事は煙草を指の間に挟んだままで、何もいわず彼の顔を見つめた。それで勇樹は自分がしゃべりすぎたのかもしれないと思った。

「遅くなりましたから、これで失礼します。お仕事中すみませんでした」

そういって自転車にまたがると、彼は勢いよくペダルをこぎだした。こんな話を刑事にしたとわかったら、また武志に叱られるかもしれなかった。

4

勇樹が学校から帰ってきた時、志摩子は内職の洋裁をしていた。いつもは近所の工場でミシンがけや機械編みをしている時間だが、今日は早く終わったのだ。

「今日は大変だったそうね？」

靴を脱いで上がってきた勇樹に、志摩子はいった。北岡明の死は、近所の主婦から聞いたのだった。

「兄貴、何かいってた？」

襖《ふすま》の向こうを気にしたようすで、声をひそめて勇樹が訊いた。先に武志が帰っており、隣の部屋で横になっている。武志の運動靴を見て、勇樹もそのことに気づいたのだろう。

「ううん、何も」

志摩子は首をふった。武志は帰ってくるなり、何もいわずに奥の部屋に行ってしまったのだ。

「そうか……。学校に刑事が来たんだけど、兄貴も呼ばれたらしいんだ」

「刑事さんに？　本当？」

「僕も帰りに、その刑事と話をしたんだ。僕が兄貴の弟だってこと、すぐにわかったらしいよ。よく似てるっていわれた」

「そう」

志摩子は食事の支度をするため、洋裁の道具を片付けはじめた。

志摩子が須田正樹と結婚したのは、彼女が十九の時だった。正樹は彼女よりも七歳年上で、小さな電気工事会社に勤めていた。お互い身よりが殆どなく、小さな借家で二人だけの生活を始めたのだった。贅沢は望めなかったが、充実した日々が過ぎた。

家で夫の帰りを待つ彼女に悲報が届いたのは、結婚して七年目の秋だった。知らせに来た会社の人間は、じつに事務的に不幸の宣告をした。感電事故だった。帯電したコンデンサに正樹が触れたらしいのだ。どうしようもなかった、とその男はいった。

当時五歳と六歳だった二人の息子の手を引いて、志摩子は病院に走った。途中涙が溢れて、何度も嗚咽《おえつ》を漏らした。

病院についた時、正樹の顔はすでに白い布で覆われていた。彼女は夫の名を呼びながら、彼にとりすがって泣いた。何もわからない勇樹も、母親の様子を見て泣きだし、看護婦たちの涙をさそった。武志は泣かず、きつく拳を握りしめて立っていた。

それ以後志摩子の生活は一変した。二人の息子のためにも、死にものぐるいで働かねばならなくなった。息子たちも贅沢を望んだりしなかった。小学校の時に彼女が二人にあたえたものは、武志にグローブとボール、勇樹に百科事典、ただそれだけだった。高校進学時も、武志は野球の名門へ、勇樹は高進学率校に行かせたかったが、結局二人とも地元の高校に入った。もちろん二人が自分からいいだしたことだった。

「刑事ってのは想像していたよりも地味なんだ。でも目線は鋭かったな。仕事がらそうなるんだろうけど」

勇樹がいった時、襖がすっと開いた。明かりのついていない真っ暗な部屋を背にして、武志が勇樹と志摩子を見下ろしていた。

「刑事に何を訊かれたんだ？」

武志が訊いた。低い声だった。

「特に何も訊かれてないよ。僕は北岡さんとは親しくなかったし……刑事に会ったのも偶然なんだ」

勇樹は、刑事がペンをなくしたようなので、鉛筆を貸してやったのだといった。

「そうか」と呟きながら、武志はこちらの部屋に入ってきた。

「だけど面白い話は聞けたよ。北岡さんのそばには犬の死体もあったそうだけど、どうして犬も殺されたのかだとか、犯人はどうして北岡さんが、あの時間にあの道を通ることを知っていたのだとか……とにかく謎は多いらしいんだ」

「ふん、決まってるさ。犯人はここのおかしいやつさ」

武志はこめかみを人差し指で突いた。「ついこの間そういう事件があったじゃないか。アメリカ人が刺されるってやつがさ。あれと同じだよ」

先月の二十四日、ライシャワー米大使が刺されるという事件があった。犯人は十九歳の少年で、自分の生活が苦しいのは米国の占領政策のせいだという結論に達して、犯行に及んだのだということだった。少年は過去に精神病の治療を受けたことがあった。

「北岡も犬も、ついてなかったってことさ」と武志はいった。

「うん。刑事もその可能性は強いっていってた」

「だろうな」

武志は何度も首を縦に動かし、勇樹を見ていった。「あとは警察が何とか解決するだろう。おまえは全然関係ないんだから、もうこれ以上かかわるな」

「わかってるよ」

「おまえには、そんな時間はないはずなんだからな」

そういうと武志は立ち上がり、玄関で運動靴を履き始めた。「ちょっとランニングに行ってくる」

「あと三十分ぐらいで御飯にするから」

志摩子は彼の背中に声をかけた。武志は頷くと、軽い足音を残して走っていった。

5

高間が小野を連れて北岡明の家を訪れたのは、明の死体が見つかってから四日目のことだった。この間聞き込み捜査などは精力的に行われているが、まだ有効な手掛かりは得られていなかった。明の人間関係などについても徹底的に調べられたが、特筆すべきことは見つかっていない。

「どうも犯人像が摑めないんですよね」

北岡家に向かう途中、小野が首を傾げながら呟いた。「犬を殺してから飼い主を殺す——これはどう考えてもおかしいと思いませんか？」

「さあ。その時の状況がどうだったか、わからないからな」

高間は慎重に答えたが、小野と同様の疑問はくすぶり続けている。

解剖の結果、死因や死亡推定時刻等については大きな変更はなかった。だがただ一つ奇妙なことが判明した。北岡明の傷口から、愛犬マックスの血が検出されたのだ。マックスの方には明の血は検出されない。これはつまり、犯人はまずマックスを殺し、それと同じナイフで明を刺したということを示している。

なぜ犯人は先にマックスを殺したのか？　犯人はやはり狂人で、ただめちゃくちゃに凶器を振り回していたということなのだろうか？

ぼんやりと考えているうちに二人の刑事は北岡家の前に到着した。昭和町の中でも、比較的大きな屋敷が並ぶ住宅街の中だった。高間は二階建ての屋敷を見上げてから、門のところのブザーを押した。

応対に出てきたのは母親の里子だった。小柄で、上品な顔だちの女性だった。事件当日に署でちらっと見て以来だが、あの時と比べると幾分痩せたようだ。だが顔色の方はかなり回復していた。

仏壇の前で線香をあげ、掌を合わせてから里子の方を向いて座り直した。

「あの……その後何か？」

正座した里子が、探るような目を向けてきた。捜査の進捗《しんちょく》状況のことをいっているらしい。

「全力をあげて調べております。おそらく近いうちに手掛かりを得られるでしょう」

自分でも白々しく聞こえたが、高間としてはこのようにいうしかなかった。里子は明らかに失望の色を浮かべ、ため息をついた。

「じつは今日は明君の部屋を見せていただこうと思って伺ったのです」

高間は柔らかく申し出た。「事件の後、部屋の整理をされましたか？」

「いえ、何もかもあの時のままに残してあります。どうぞ御覧になってください」

そういって里子は立ち上がった。

北岡明の部屋は東向きの四畳半で、机と本棚以外は何もない殺風景な部屋だった。壁には南海の野村捕手の写真と、選抜大会出場時の記念写真が貼ってあるだけだ。

机の上では日本史の教科書が開いたままになっていた。高間はそれを手にとってみた。ところどころに赤鉛筆で線を引いてある。一五六〇年桶狭間の戦い、一五七五年長篠合戦、そして一五八二年本能寺の変。その頁の項目は、『織田信長の統一事業』だった。

「かなり勉強家だったみたいですね」

横から覗きこんでいた小野がいった。高間も頷く。頁のすり切れ具合から、お世辞でなくそう思った。

「歴史のテストが近いとかいってました。あの日は七時頃に帰ってきて、夕食を済ませた後すぐに勉強を始めたようです」

「七時頃帰宅してから九時頃に出かけるまで、明君はずっと家にいたわけですか?」

「ええ、それは間違いありません」

「その間、誰かが訪ねてきたり、電話がかかってきたりもしなかったのですね?」

「そうです」

里子は迷わず答えた。この質問は何度も繰り返されているのだが、そのたびに里子の回答は明快になっていくようだった。そして明快になればなるほど厄介だということを、高間は知っている。

「家に帰ってきた時の明君のようすに、何か変わったところはなかったですか?」

これもまた何度もなされた質問のはずだった。しかしここでは彼女は即座に答えず、口元に手を寄せて何か思いだそうと努力しているようすだった。

長い沈黙があった。高間は明が暴漢に襲われた可能性について考えていた。もしそうだとすると、彼女が何も思いつけなくても不思議ではないのだ。そして捜査員たちの意見は暴漢説に傾き始めている。

「変わったようすはなかったのですが」

やがてゆっくりと彼女は口を開いた。高間は何か予感を持って彼女を見た。

「今夜はトレーニングに行かないんだな、と思った覚えがあります」

「トレーニング？」

「今月に入ってから、夕食後出かけていくことが多くなったんです。訊いてみると、トレーニングだと答えました。毎日じゃなかったですから、行かないからといって気にとめることもなかったのですが」

「あの日はそのトレーニングに出かけるようすはなかったのですね？」

「ええ。テストが近いからかなと思ったんですけど」

あるいは森川の所に行くつもりだったからかもしれないと、高間は思った。

「トレーニングといわれますが、具体的にはどこで何をしていたのですか？」

「さあ……石崎神社の方に行っていたらしいんですが、詳しいことは……」

里子は困ったような顔をして、掌を頬に当てた。息子の行動を把握していなかったことを恥じているようだった。

石崎神社というのは、ここから徒歩で十五分ほど南に行ったところにある古い神社だ。

高間は須田武志のことを考えていた。彼に当たれば何かわかるかもしれないと思った。もしかしたらトレーニングというのは、二人でやっていたのかもしれない。

高間は里子の許可を得て、机の中の点検を始めた。コンパス、分度器、定規といった文房具のほかに、ザラ紙に印刷したプリント類が大量に収められている。明の性格を反映して、それらは皆奇麗に整理されていた。

「学生さんは大変ですね」

ついこの前までは自分もそうだった小野が、感心したような声を出した。

本棚に目を向けると、学校の勉強の本以外に、野球に関する書物が何冊か並んでいる。そのほかに小説や随筆もあって、明の教養の高さを示していた。高間はそれらの中から目についた一冊を抜き出した。『愛犬者の本』という、厚さ二センチほどのハードカバーだった。かなり熟読されているらしいということが、手垢のつき具合から察せられた。

「犬が大好きな子でした」

しみじみとした調子で里子はいい、それでまた悲しみが蘇《よみがえ》ってきたのか、目頭を押さえた。

「死んだマックスはあの子が小学生の時に買ってやった犬です。子犬の時から、あの子が全部面倒をみていました。どこへ行くにも連れていって……。先程お話ししたトレーニングにも連れていってましたわ」

「そうですか」

それほど可愛がっていたのなら、死ぬ時も一緒でよかったのかもしれないと高間は思った。

本を戻す時、その横のアルバムが目に入った。抜きだしてみると、意外に埃が少ない。時々取り出しては眺めているということだろうか。

アルバムは明の赤ん坊時代から始まり、ランドセル姿へ。写真の下に、『小学校入学式』とある。間もなく真っ白のユニホームを着た明が現れる。『リトルリーグに入った』というコメント。やがて詰襟姿の明が出てくる。この頃から写真の大部分は野球に関するものばかりになる。バットを構えた明、プロテクター姿の明。

アルバムの中の明が突然大人びた。高校生になったのだ。部室の前で須田武志と一緒に写っている。『須田とバッテリーを組む　感無量』と書いてある。

そのあとも合宿や試合の写真が数多く出てくる。クラスの写真などは、その間に申し訳程度に挟まっているだけだ。そして甲子園出場が決まった時の新聞記事が貼ってある。

一番新しい頁には、甲子園のベンチ前で全員整列している写真があった。高間はその下のコメントを見た。

――おや？

高間はそこのところを里子に見せた。「どういう意味でしょう？」

里子はそれをちょっと見て、すぐにあきらめて首を振った。

「さあ、私は野球のことはよく知らないものですから」

高間はもう一度そのコメントを見た。果たして何か深い意味でもあるのだろうか？　事件との関わりは全く不明だが、彼は手帳にその文をメモしていた。

「気になるコメントですね」

小野も覗きこんで感想を述べた。

その写真の下には次のように書きこんであったのだ。

「残念ながら一回戦敗退　そして魔球を見た」

――魔球を見た……か

高間は壁に貼ってある写真を見上げた。須田武志のどこか翳りのある目が、なぜか妙に印象に残った。

証言

1

部室特有の饐《す》えたような汗の臭いを意識しながら、田島恭平は腕組みをして部屋の隅に立っていた。三塁手の佐藤は両手をズボンのポケットに突っ込んでロッカーにもたれかかっている。一塁手の宮本は椅子に座り、中堅手の直井は机の上であぐらをかいて爪を切っていた。他の者と目を合わせたくないのか、誰もが壁を見つめたり目を閉じたりしている。それで空気は一層重くなった。

「あとは沢本だけだな」

田島が口を開いた。沢本というのは外野と捕手の補欠だった。その男が来れば、須田武志を除いた三年生部員が全員揃うのだ。

「あいつはいつもグズだな」

空気を和らげようと続けていったが、誰も答えなかった。仕方なく田島はまた口をつぐんだ。

「俺はやっぱり反対だな」

ふいに宮本がいった。「ほかなら誰でもいいけどさ」

「俺も宮本と同意見だ」

続いて佐藤がいった。「そりゃあ北岡が主将になってから、うちは強くなったさ。だけどそのためにいろいろなものを犠牲にしたことは事実だ。一番大きな犠牲は、楽しんで野球をやれなくなったってことだな。俺はヒットを打った時のスカッとした気分を味わいたいから野球を始めたんだ。欲求不満になるために野球部に入ったわけじゃない」

「そうなんだよ」と宮本が後をついだ。「こっちは好きなように打って、好きなように守りたいんだよ。やつはたしかにうまかったけどさ、こっちが何かやるたびに細かいことをごちゃごちゃいうんだものな。佐藤のいうように欲求不満になったぜ。別にプロになるわけじゃないんだからさ、好きなようにやらせてくれればよかったんだ。やつの影響で、最近は監督まで口うるさくなったしさ」

「だけど、そのおかげで甲子園に行けたじゃないか」

田島が反論すると、「そうだけどさ」と宮本は黙った。

直井は何もいわず、爪にヤスリをかけていたが、ふっと指先に息を吹きかけると、

「俺は別に甲子園に行けなくてもよかったな」

と呟いた。田島は驚いて彼の顔を見たが、他の二人は彼が突飛なことをいったようには感じていないようすだった。佐藤などは頷いている。

「だいたい俺たちは本当に甲子園に行ったのか？」

直井は田島に向かって訊いた。田島は彼のいう意味がわからず黙っていた。

「甲子園に行ったのは、北岡と須田の二人だけじゃないのか？」と直井はいった。「あの二人以外は、別に俺たちでなくてもよかったんだ。ユニホームを着てれば誰だってよかったんだよ。所詮付録さ。二人に連れていってもらった甲子園なんて、何の感激もなかったね」

そして彼は田島の顔を見たまま続けた。「おまえだって全然うれしくなかっただろう？　何せ、絶対に出番はないんだものな」

「…………」

田島は控え投手だった。エースが須田武志である以上、直井のいっていることは否定できなかった。実際、公式戦で田島が投げたことは一度もなかったのだ。彼に武志のリリーフが務まるはずはなかったし、彼が出て行くような楽勝の展開になるほど、開陽打線は得点力を持っていなかった。そして事実甲子園でも彼が投げることはなかった。彼がマウンドに行ったのはただ一度だけ、九回のピンチに伝令に走った時だけだ。

しかしそれでも甲子園出場が決まった時、田島は心の底から喜んだ。出番のないことはわかっていたが、自分が代表チームの一員だと考えるだけで、誇り高い気分になれたのだ。そしてその気持ちは今も変わりがない。たとえ伝令役で終わったにしても。

だが今ここでそれを口にすることはできなかった。そんなことをしたら、直井たちは嘲《あざけ》りと憐れみの視線を向けてくるに違いなかった。

「あの時だってそうさ」と佐藤はいった。「亜細亜学園に敗けた時さ。あの時監督は、思いきって打たせろって伝令を出したんだ。だけどあの二人は無視した。バックをまるで信用しないでさ」

田島は驚いて彼の顔を見た。彼は自分が肝心な場面でエラーしたことを、全く忘れてしまっているようだった。

「とにかくこれを機会に部の方針を変えよう。とりあえず須田を主将にすることについては、三人が反対しているわけだ」

宮本が立ち上がり、坊主頭をくしゃくしゃと掻いた。『これを機会に』とは、北岡の死を機会に、という意味のようだった。

北岡明の死から五日後の放課後である。今後のことを相談しようと集まったわけだが、最初に直井がいいだしたことは主将を誰にするかということだった。「そんなことを急いで決めなくても」と田島が拒絶すると、宮本が声を荒げて抗議した。「早く決めとかないと、須田が主将面《づら》するに決まってるだろ」

こうして不快な会合が始まったのだった。

やがて遅れていた沢本が、気の弱そうな顔を見せた。佐藤がロッカーにもたれかかったまま、彼に今までの話の概要を説明した。沢本は黒い鞄を大事そうに抱えたまま、佐藤の話を聞いていた。

「おまえはどう思う？」

宮本が彼に尋ねた。沢本は四人の視線を受けて少し萎縮しているようすだったが、それでもはっきりと、

「僕は、楽しく野球がやりたいな」

といった。「僕はあまり運動神経のいい方じゃないけど、体力づくりのためと思って野球部に入ったんだ。開陽の運動部はどこも、あまり厳しい練習をしないって聞いていたし……。だけど、甲子園を狙えるとかで、去年の春ぐらいからはぐんと厳しくなった。で、北岡が主将になってからは毎日死ぬほど苦しい練習ばかりで……。うちは進学校なんだから、勉強の時間を削ってまで甲子園を目指すことないと思うよ」

「同感だね」と佐藤が拍手する真似をした。

「それに」と沢本は続けた。日頃無口な彼が、こんなに発言するのは珍しかった。それだけ不満が大きかったということなのだろうが、田島は何だかひどく寂しい気がした。

「それに北岡は、僕たちを須田なんかと比較してた。すぐにいうんだよ。同じ人間なんだから、須田に出来ることは他の者にも出来るはずだってさ。冗談じゃないよ。須田はプロを目指してるような奴じゃないか」

「今時やれば出来るなんていうの、小学校の教師ぐらいだぜ」と宮本が後押しした。

「僕もそう思う。だけど北岡はそうは思ってなかったんだよ。だから僕のことをとんでもなく無能な男だと馬鹿にしていた」

「いやそんなことはなかったと思う。あいつは人を馬鹿にするような男じゃなかったよ」

田島の反論に、沢本は何度も首をふった。

「田島は知らないだけだよ。先週のことだけど、北岡がここで一人で次の試合のメンバーを考えていたんだ。そこへ僕が入ってきたわけだけど、しばらくして北岡が薄笑いをうかべながらいった。『どうだい沢本、今度の試合に田島とバッテリーを組んで出てみないか』ってね。僕が驚いていると、『いや、冗談だ』って笑うんだ。僕が本気にしかけたのが、おかしいらしくてね。あの時は僕もさすがに腹が立った」

「そういうやつだった、ということさ」

直井が冷めた口調でいった。

いや悪気はなかったと思う、といいたくなるのを田島は咽元でこらえた。そんなことをいっても、「甘い」と嘲笑されるだけのことだ。

「とにかくこれで決まったな」

直井は机の上からぱっと飛び下りた。「主将は須田以外の者。方針は、部員全員が楽しめるようなチーム作りをする、ということだ。全員野球で勝つという方向だな。スターはいらない」

「うん、スターはいらない」と佐藤が大きく頷いた。

「賛成だ」

宮本も彼に倣《なら》った。

田島は納得できなかった。何が全員野球だと思った。結局は馴れ合いに過ぎない。ぬるま湯に戻りたいだけなのだ。

「決定だ。多数決なんだから、田島も異議はないよな?」

直井が彼を睨むようにしていうと、他の三人の目も彼に向けられた。その目の鋭さに、自分でも歯痒《はがゆ》いような苛立《いらだ》たしさと情けなさを感じながら、田島は曖昧《あいまい》に頷いてしまっていた。

2

死体発見から六日後の木曜日、捜査員の一人が重大な情報を得てきた。その捜査員は、桜井町にある森川のアパート周辺の聞き込みを行っていたのだが、犯行当夜に北岡明の姿を見たという人間が現れたのだ。

目撃者というのは、毎週木曜にそのあたりに三味線を習いに来ている主婦である。彼女はふだんは昼間に習いに来ているが――事実捜査員が聞き込みをしたのは昼間だった――先週に限っては夜の部に来たらしい。その帰りに北岡明の姿を見たということで、時刻はだいたい十時頃だったという。彼女の家は北岡家の近所なので顔は知っていたわけだが、言葉を交わしたわけではないらしい。彼女は無論事件のことは知っていたが、自分が目撃したことの重要性には気づいておらず、三味線の稽古仲間にしゃべるだけにとどめていた。その稽古仲間の話が捜査員の耳に入ったのだ。

この情報で捜査本部は揺れた。今まで北岡明は森川のアパートに向かう途中で襲われたと考えられていたのだが、アパート周辺で見た者がいるということは、彼が殺されたのはその帰りということになる。

早速この夜、高間と小野が森川のアパートに向かった。あの夜森川はずっと部屋にいたが、北岡は訪ねてこなかったと証言している。アパートのそばまで行った北岡が、なぜ引き返したのか？

高間は嫌な気分を胸に抱きながら、二階建てのアパートの階段を上がった。捜査員の中には、森川教諭が嘘をついているのではないかという意見を出す者もいたのだ。

ノックをすると間もなく返事があって森川が顔を出した。高間たちを見て、彼は少し緊張したようだった。

「訊きたいことがあるんだ」と高間は彼の目を見ていった。「今少しいいかな？」

「ああいいよ。散らかっているけど」

森川はこういったが、実際には部屋の中は奇麗に清掃されていた。入ったところに台所付きの四畳半があり、奥には三畳の間がある。台所の食器類は見事に棚に収まっていたし、独身男の部屋にしては汚れた衣類の数が少なかった。高間はそういうところを素早くチェックしながら、森川が勧めてくれた座布団に腰を落ちつけた。その座布団カバーも洗濯済みという感じだった。

高間は、事件当夜北岡明がこのあたりまで来ていたはずだという話から始めた。森川は高間から目をそらし、「そうだったのか」と眉間に皺を寄せた。

「率直にいうと、おまえの供述を疑う声まで出始めている。北岡明が来なかったというのは嘘じゃないか、とね」

「いや、それは本当だ。信じてくれ」

そういって森川は目を上げた。

「もちろん信じたいさ」

高間はまた室内を見回した。森川がそうした自分の視線を気にしているのがわかった。

「あの夜は、ずっと部屋にいたといったな？」

森川は無言で頷いた。

「ずっと一人だったのか？」

すぐには返事がなかった。森川の目に迷いの色が浮かんだ。

「違うんだな？」と高間は訊いた。胸の中のもやもやが、はっきりしてきた。

森川は辛そうに首をふった。「嘘をつくつもりはなかったんだ」

「しかし本当のことはしゃべりたくなかったというわけか？」

「すまん」といって森川は唇を噛んだ。

高間は深呼吸をした。「彼女が来たのか？」

「そうだ」

「よく来るのか？」

「時々……週に一度くらいかな。しかしあの夜以後は来ていない」

「ちょ、ちょっと高間さん」

隣でメモを取っていた小野が、うろたえたようすで高間の服の袖を引っ張った。自分の理解できないところでどんどん話が進んでいくのであわてたらしい。

「いったいどういうことなんですか？　彼女って、誰なんですか？」

高間は小野の方にちょっと目を向け、それから森川を真っすぐに見ていった。

「手塚麻衣子という女性だ。開陽高校で教師をしている」

「国語の教師です」と森川が付け加えた。

小野は急いで手帳に書きこんでいたが、そのうちにふと手を止めて顔を上げた。

「でもどうして高間さんが御存知だったんですか？」

「まあ、いろいろあるんだよ」

高間がいうと、小野は少しの間得心《とくしん》のいかない顔をしていたが、そうなんですかといってメモを再開した。あまり深く詮索しない方がいいらしいと感じたようだ。

「彼女は何時頃来たんだ？」と高間は森川に訊いた。

「七時頃だと思う。いつもだいたいそのくらいなんだ」

「帰ったのは？」

「十時頃じゃなかったかな」

微妙な時刻だな、と高間は思った。手塚麻衣子が帰ったのが十時頃、北岡明の姿が目撃されたのが十時頃、そして彼が殺されたのがその直後。

「北岡は、この部屋の前までは来たのじゃないかと思う」

森川が思いつめたような声でいった。「それで彼女が来ていることを知って、引き返したんじやないかな」

これは高間も考えていることだった。

「北岡明はおまえと彼女とのことを知っていたのか？」

「野球部の連中は感付いていたと思う」

「そうか。――この話はもっと早く聞きたかったな。そうすれば捜査にもかなり役立ったはずだ」

「すまなかった。だけど、彼女が時々ここに来るなんてことを話したくなかったんだ。狭い町だ。いっぺんに噂になってしまう。それに……」

森川はいい淀み、結局その続きをいわなかった。だが高間にはわかっていた。彼は担当捜査員が高間だったから余計にいいづらかったのだ。

高間たちが引き上げる時、玄関で森川がいった。

「このことは学校や世間には内緒にしてほしい。もし知れたら、どちらかがこの町を出ていかなければならなくなる」

「わかっている」と高間は目で頷いた。奇妙な優越感が胸の中をかすめた。

「それから……彼女にも会いに行くんだろう？」

「おそらくな」と高間はいった。「それが俺たちの仕事なんだ」

森川は頷き、鼻の横を小指で掻いた。そしてまた高間の顔を見た。

「俺がこんなことをいうのも変だが、彼女の気持ちをよく考えて当たってほしい。彼女はあの事件以来ひどく落ちこんでいる。北岡が殺されたのは、自分がここに来ていたからだと思いこんでいるのかもしれない」

「彼女は、北岡がこの近くまで来たことを知っているのか？」

「そうかもしれない。根拠はわからないが」

ここで森川は、また辛そうに眉を寄せた。

高間が手塚麻衣子を知ったのは、二年前の冬だった。彼女は警察学校時代の友人の妹だったのだ。当時彼女は開陽とは別の高校に勤めており、その友人と兄妹で暮らしていた。さほど派手さはないが、彼女の理知的で清潔な印象に高間は好感を持った。「もう結構いい年なんだよ」とその友人はいったが、高間の目には五歳ぐらい若く見えた。話していても知性が感じられて楽しかった。

高間は彼女にひかれていたが、交際を申し込む決心がつかなかった。それは彼女が刑事という職業をいかに嫌っているかを、彼女の兄から聞いていたからだった。それでも彼は時々、友人と飲むことを口実に彼等の家に遊びにいった。そのうちに、彼女の方も自分に好意を持ってくれているらしいという手応えが感じられるようになった。すでに彼女の方は高間の気持ちには気づいているはずだった。もう少し時間をおけば——プロポーズの時期を高間はそんなふうに考えていた。

それから少しして、麻衣子の転勤が決まった。行き先は高間の母校である開陽高校だった。高間は即座にいった。

「開陽高校なら友人が教師をしているよ。今度紹介してあげよう」

彼の言葉に、麻衣子は素直に喜んだ。

「ああよかったわ。全然知らない職場に行くってことで、とても不安だったんです」

「まだ子供なんだよ、こいつ」

そういって彼女の兄は笑った。

そして彼女に紹介したのが森川だった。彼とは高校時代からの友人で、性格の良い男だと知っていたので、彼女の相談相手にはふさわしいと思った。

高間と麻衣子にとって重大な事態が起きたのは、その年の夏だった。彼女の兄が死んだのだ。酒場で、町のチンピラに刺されたのだった。彼はその日非番だったが、サラリーマンがからまれているのを見て助けようとしたらしい。犯人はすぐに捕まった。

麻衣子は時折涙を見せた程度で、淡々としたようすで通夜を終え、葬儀を済ませた。高間と森川もずっと一緒にいたが、彼女の兄の死については殆ど何も話さなかった。明らかに彼女の方がその話題を避けていたのだ。

それから半年ほどして、森川が会いにきた。気まずそうな顔をして彼が切りだしたのは、麻衣子に結婚を申し込みたいということだった。高間はさほど驚かなかった。彼の気持ちには気づいていたからだ。

「おまえも彼女を好きだということはわかっている」と森川はいった。「だからこうして先に断りに来たんだ。おまえの許可をもらってからでないと後味が悪いからな」

高間は頷き、酒でも飲もうといった。実際のところ、これでよかったのだと思っていた。自分が刑事をしているかぎり、彼女にプロポーズすることなど不可能だったからだ。

「おまえには感謝しているよ」と森川がいった。「彼女を会わせてくれたんだからな」

「感謝なんかするな」と高間は答えた。「余計腹が立つ」

そうしてその晩二人は飲み明かした。

麻衣子は彼の求婚を承諾したらしい。だが今すぐというわけにはいかなかった。今は仕事に賭けている、教育というものに少し自信が持てるようになったら結婚したい――彼女はこういったらしい。

それから約一年。この間もちろん高間は、麻衣子には会っていない。


森川のアパートを出たあと、高間は小野を署に帰らせ、タクシーで手塚麻衣子の家に向った。小野は何かを察したようすで、特に理由を訊いてはこなかった。

手塚麻衣子の家は昭和町の一番南にある。古い邸宅が並ぶ一画の中に、同じような形の木造住宅がいくつも並んでいる。その中の一つを彼女たち兄妹は――今は彼女一人が――借りていた。

高間は何も考えないようにして、玄関をノックした。

高間の顔を見た彼女は、口を開き何か驚きの声を発したようだった。彼女が何かいう前に彼は警察手帳を出した。

「お訊きしたいことがあるんです」

「北岡君の？」と彼女は訊いた。そうです、と高間は答えた。

奥の間に彼は通され、卓袱台《ちゃぶだい》をはさんで麻衣子と向きあった。六畳の間で、隅に座卓がある。

座卓の上には、彼女の死んだ兄の写真が額に入れて飾られていた。

「森川の所にいってきました」と彼は敢えて事務的にきりだした。「事件当夜、あなたが彼の部屋に行っていたというのは本当ですね？」

「ええ」と彼女は睫《まつげ》を伏せた。

「何時から何時の間ですか？」

「七時から……十時過ぎぐらいだと思います」

森川の話と一致している。

「彼の……森川の話では、最近あなたのようすがおかしいということでした」

麻衣子は顔を上げた。しかし高間と目が合うと、また視線を下げる。

「調査の結果、北岡君は森川のアパートの前まで行って引き返したと考えられています」

彼女の頬が少し動くのを見て、高間は続けた。「あなたはそのことを知っていたんじゃないですか？」

麻衣子はうつむいたまま黙っていた。森川の勘が当たったようだな、と高間は思った。

しばらくしてから、「はい」と彼女は答えた。何をこれほど迷っていたのかは、高間にはわからなかった。

「どうして北岡君が来たことを知ったのですか？」

「それは……あの日、見たからです」

「見た？　北岡君をですか？」

「はい」と彼女は顎を引いた。「あの夜彼のアパートから自転車で戻る途中、堤防を歩いていた北岡君を追い抜きました。もしあの子が森川さんのところに行く途中なら、あたしとは逆の方向に歩いていたはずです。事件のことを聞いた時、北岡君はあたしがアパートにいることを知って引き返したのだと悟りました」

なるほどそういうことだったか、と高間は納得した。麻衣子はこのことを警察に知らせたかったが、森川とのことがばれるのを恐れて黙っていたのだろう。

「北岡君とは言葉を交わしたのですか？」

「いえ。たぶん彼はあたしだということもわからなかったと思います。マスクをして、帽子を深くかぶっていましたから」

知人に見つからないようにという配慮なのだろうと高間は推測した。あんなに暗い堤防沿いの道を通っているのも、そのためだろう。

「北岡君を追い抜いたのは、どのあたりですか？」

「開陽高校を越えてすぐだったと思います」

現場はそこから二百メートルほど先だ。つまり麻衣子は、彼が襲われる直前に出会ったということになる。高間の鼓動が速くなってきた。

「その時の北岡君のようすはどうでしたか？」

「別に変わったところは……ちらっと見ただけですけど」

「犬はいましたか？」

「ええ。連れていました」

「北岡君を追い抜く前後、ほかに人を見かけませんでしたか？」

麻衣子は唇をかすかに動かしたが、またすぐに閉じた。そして随分長い間黙ったあとで答えた。「見かけました」

「やはり」と高間は溜めていた息を吐きだした。「どのあたりでですか？」

「北岡君を追い抜いて、少し行ってからです。反対側から歩いてくる人がいました」

「男でしたか？」

「はい、男性でした」と彼女はきっぱりと答えた。

「背格好はどうでしたか？」

「背は高い方だったと思います。あたしが自転車に乗っていたものですから、よくわかりませんけれど」

「服装や顔は覚えていますか？」

「いえ」といって彼女は掌をこすり合わせた。「暗くてよく見えなかったんです。北岡君の時は光線の具合でわかりましたけど」

「暗かった？　自転車のライトを点けていなかったんですか？」

高間は麻衣子の目を見て訊いた。

「ええ。もしライトを点けていたなら相手の顔もわかったでしょうけど、その時は点けていなかったんです」

それから彼女は付け足した。「ライトを点けると、自分の顔も相手にわかりそうな気がしたものですから」

「……なるほど」

高間は暗い気分を嚙みしめ、彼女の言葉を手帳に書きこんだ。

一段落したところで麻衣子が立ち上がった。お茶でも入れるという。高間は辞退したが、彼女は構わず台所に行った。

麻衣子が入れてくれた茶を啜《すす》っていると、高間も幾分気がほぐれてきた。そこで彼は思いきって訊いてみた。「森川とはいつ結婚するんですか？」

彼女は黙って湯のみ茶碗を眺めたあと、「まだわかりません」といった。

それからまた沈黙が続いた。六畳の間に、二人の茶を啜る音が何度も繰り返された。

3

新主将の下で最初の練習が行われた。新主将には宮本が選ばれていた。なぜ彼に決まったのか、その理由を田島は知らない。つい先刻、そのように聞かされただけだ。

宮本が整列した部員の前で挨拶したが、一、二年生は明らかに戸惑っていた。彼等は新主将は武志だろうと信じていたに違いない。

田島はうつむいたまま、横目で隣の武志を見た。武志は新主将の挨拶などには興味がないようすで、相変らずのポーカーフェイスでグラウンドの土を蹴っていた。さっき、主将は宮本に決まったと、佐藤や直井たちから一方的に知らされた時も、彼の反応は似たようなものだった。冷めた目で、「そうか」と一言いっただけだ。反対を予想して身構えていた佐藤たちも、拍子抜けしたもようだった。

入部以来二年以上も野球部を支えてきた男が、今やのけ者にされているわけだが、当の本人は何も感じていないようすだった。

宮本の挨拶のあと、いつも通りランニングが行なわれた。そのあとは二人一組で柔軟体操だ。田島は意識して武志と組んだ。グラウンドを何周も走ったあとだというのに、武志の息は殆ど乱れていない。いつもながらすごいなと、田島は感心した。

「宮本が主将をやることに、おまえは反対すると思ったけどな」

武志の背中を押しながら田島は小声でいった。武志の身体は柔らかい。足を百二十度以上開いても、胸がぴったりと地面につく。抵抗が少なくて、押している田島が物足りないほどだ。

田島は続けた。「宮本たちは北岡のやり方に不満を感じてた。たぶんずいぶん方針が変わると思う。そうすれば須田としてもやりにくくなるんじゃないか」

武志は目を閉じて、田島が押す方向に身体を曲げながら、

「何も変わらないさ」

感情のない声を出した。

「そうかな、どうして？」

田島が訊いたが、武志は答えなかった。

交代して、今度は田島が柔軟体操をする番になった。彼は身体が固いので、これが苦手だった。足を開いて背中を押されると、太腿の裏側に痺れるような痛みが走る。

彼の固い身体を押しながら、武志が静かにいった。

「別に何も変わりゃしないさ。ここの連中はただ待っているだけだ。待っていれば、いつかは点が入るだろうと思っている。相手投手が甘い球を投げるのを待っている。エラーしてくれるのを待っている。誰かが打つのを待っている。あげくの果てに、自軍の投手が相手打線を完封してくれるのを待っている。そんな連中が何かを変えたりできるものか。変わるのは一つだけだ。もう勝てなくなる」

田島は顔をしかめて身体を曲げながら、彼の言葉を聞いていた。聞きながら、この男は何かを待つなんてことはないのだろうなと思った。

ノック練習が始まった。バットを持っているのは宮本だ。田島の記憶では北岡のノックは絶妙だったが、宮本のそれはあまり上手とはいえなかった。本人もそのへんは気づいているらしく、いろいろ工夫しているようだが、どうもうまくいかず再三首を捻っていた。

田島が投球練習を始めようとすると、沢本が相手をしに近づいてきた。北岡がいなくなった今では沢本が正捕手なのだから、当然彼は須田の球を受けなければならないはずだった。田島がそれをいうと沢本は、少し拗《す》ねたような顔をした。

「僕にあいつの相手は無理だよ」

「だけど控えの俺が正捕手を取るわけにはいかないよ」

田島は宮本に事情を述べた。宮本は露骨に嫌な顔をした。たぶん一番関わりたくない問題なのだろう。

「まあ、まだ沢本が正捕手と決まったわけじゃないからな。そのへんはこれからゆっくり考えるとして、今日はそのままやってくれ」

それじゃあ須田が、と田島がいいかけたが、宮本はそれが聞こえないかのように、またノックを始めた。

田島は仕方なく引き返した。戻りながら武志のいった意味がわかってきた。つまりこれが「待っているだけ」ということなのだ。厄介な問題も、何とかなるのを、ただ待っている。

武志はそんなことなど気にかけていないようすで、二年生の捕手を相手に遠投を始めている。彼は逆に、回りの者が正捕手を作ってくれるのを待っている気など、全くないようだった。

田島は諦めて投球練習を開始した。何となく後めたい思いで腕が縮んでしまい、なかなか思うように球が走らなかった。

何十球か投げこんだ頃、武志がグラウンドの外に出ていくのが見えた。田島が目で追っていると、その先で手塚麻衣子が待っていた。武志は彼女と少し話したあと、こちらの方を振り向いて手招きした。それで田島も走っていった。

「練習の邪魔してごめんなさい」

と彼女はいった。相変らず色っぽい声だなと田島は思った。彼女は紙袋を二人に渡した。田島が中を見ると、大福餅がかなりの数入っていた。

「差し入れよ」

麻衣子は笑った。田島たちは頭を下げて礼をいった。

彼女はさっとまわりを見渡すと、ややためらいがちに、「森川先生はいらっしゃらないのかしら?」と尋ねてきた。

「今日はちょっと用があるとかで……」

田島は少しぎこちなく答えた。というのは、最近彼女と森川との仲が噂になっているからだった。その噂によると、二人の関係が北岡殺しに絡んでいて、そのために二人とも刑事に調べられたということだった。

麻衣子はちょっと残念そうに、「そう」と呟いた。

「監督に何か御用ですか?」

「ええ……じつは北岡君のことで警察の人から話を訊かれたんだけど、そのことで少しね」

彼女は噂になっていることを知ってか、隠そうともせずに答えてきた。それで田島の方がどう答えていいのか戸惑ってしまった。

「刑事には何を訊かれたんですか?」

今まで黙っていた武志が、遠慮のない訊き方をした。田島は咎めるように彼を見たが、手塚麻衣子の方は不快に感じたわけでもないようだ。

「そうね、あなたたちの友達のことだものね」

こう前置きして、彼女は二人に話し出した。ある事情があって森川のアパートに行った帰り、犯人らしき男の姿を見たという話だった。田島は、その「ある事情」のことは分かっていたが、もちろん分かっていないような顔をして聞いた。

「それで先生は犯人の顔を見たんですか？」

田島が勢いこんで訊いたが、麻衣子はいかにも残念だという顔をした。

「それが自転車のライトを点けていなかったから、暗くて見えなかったのよ」

「ライトを点けずに？　ライトを点けずに走ってたんですか？」

武志が言葉を詰まらせながら、たしかめるように訊いた。

「そうなのよ。もしライトを点けていたなら、絶対に相手の顔は見えていたはずなのよ。警察の人にもはっきりとそういったわ」

麻衣子は微笑んで武志と田島の顔を均等に見た。「用はそれだけよ。練習に戻ってちょうだい。宮本君と佐藤君が恐い顔をしてこちらを睨んでいるわ」

いわれて田島が振り返ってみると、なるほどその二人が怪訝そうな顔を彼等の方に向けていた。

「それじゃ……ね」

麻衣子は手を振って去っていった。

田島と武志は紙袋を持って宮本たちのところへ行った。武志はそのまま練習を再開しに戻ったので、田島が差し入れのことだけを話した。

「ふうん、恋人に会いに来たわけか」

佐藤が嫌な笑いを唇に浮かべていった。田島はそれをわざと無視して、宮本の方に向き直った。

「それよりもさ、須田が充分に練習できないってのはまずいよ。何といっても、うちのエースなんだから」

少し強い語気でいうと、宮本は返答に窮した。だがすぐに横から佐藤が口を出した。

「大丈夫だよ、須田は秘密練習してるから」

「秘密練習？」

「ああ。神社の境内でやってるのを見たことがあるんだ。雪の降る夜でさ、しーんと静まりかえった中でボールがミットに入る音が響いて、なかなかムードがあったぜ」

佐藤は茶化すようにいった。

——そうか
田島は武志を見て、あいつならそれぐらいのことはやっているのだろうな、と思った。

「それにさ」

佐藤は舐めるような目で見上げてきた。「やつがエースだって決まったわけじゃないんだぜ。

俺たちとしては、田島にがんばってもらいたいんだけどな」

田島は佐藤の愛想笑いを黙殺し、ゆっくりと歩きだした。もはや反論する気にもなれなかった。開陽野球部の全盛期は北岡の死とともに終わったのだ。

田島が戻ると、武志は二年生捕手を座らせて投げていた。何かに憑かれたみたいな全力投球で、新米の捕手は何度も尻餅をついていた。

4

手塚麻衣子の証言は貴重だったが、捜査を大幅に進展させることはできなかった。犯人は男で、どうやら昭和町の方から来たらしいといえるが、それだけでは容疑者を絞ることはできなかった。現場周辺の聞き込みは根気よく続けられているが、麻衣子が見た男に関する情報は得られていない。

十日が過ぎて、捜査本部内でも焦りの色が出始めていた。関係者からの事情聴取も一通り終わっているが、何ひとつ有効な手掛かりは出てこない。いよいよ通りがかりの暴漢に襲われたという説が有力になってきた。

だが高間をはじめ何人かの捜査員は暴漢説に反論していた。北岡明は一メートル七十以上の体格の持ち主で、しかもスポーツマンだ。いくら不意をつかれたとしても、そう易々と刺されるとは考えにくかった。

「彼の体格を見れば、暴漢の方が敬遠するだろう」――ある捜査員はそんなふうにいった。高間も同感だった。顔見知りの人間が、彼が油断した隙に襲ったのではないかと考えている。しかし問題は動機だった。怨恨のセンは何も出てこないし、彼を殺して利益を得る人間の存在も浮かんでこなかった。

あの夜北岡明が森川の所に行くということを知っていたのは誰か、という点でも検討が繰り返された。まず考えられるのは森川自身だった。彼は知らなかったといっているが、嘘をついている可能性もないわけではない。ただ彼の場合は手塚麻衣子と一緒だったというアリバイがある。共謀説も出たが、特に根拠があるわけではなかった。この時高間は何も発言しなかった。

森川以外となると野球部員が考えられるが、これにしても想像の域を出ない。そして彼等が同僚を殺すなどという話は、逆に捜査員たちの想像外だった。

この日の夕方、高間は予《かね》てから考えていた通り、もう一度須田武志に当たってみることにした。

須田家を訪ねるのは初めてだった。細い道がおそろしく入り組み、迷路みたいに小さな家が立ち並んでいるような場所で、辿りつくまでに何度も人に訊かねばならなかった。

須田兄弟の家も、そうした舗装の行き届かない、狭い路地に面して建っていた。隣との間隔が狭すぎて軒は重なりあっており、玄関の前には少し雨量が増えれば氾濫してしまいそうな簡単な溝が掘ってあった。

高間は表札を見上げた。古い板きれに『須田武志』と墨で書いてある。母子家庭だという話を彼は思いだした。表札が武志の名前になっているのは、父親がいないことを明示しては物騒だという、彼等の母親の知恵だろう。

高間は、勇樹に会った時のことを思いだした。そういえばあの少年はいったのだった。自分たちは遊びで野球をできるほど豊かではないのだ、と。

なるほどな——今にも朽《く》ちて崩れそうな木造の小屋を眺め、彼は思わず呟いた。

「ごめんください」

声をかけながら戸を開くと、すぐ目の前に人がいて、高間は少しどきりとした。よく見るとそれは例の少年——須田勇樹だった。

勇樹は卓袱台に向かって勉強中だったらしい。

「やあ」と高間は挨拶した。

勇樹は少しの間表情を固くしていたが、やがて高間の顔を思いだしたらしく笑顔を見せた。

「こんばんは」

「君一人かい？」

高間は奥に目をやった。奥といっても、開いた襖の向こうに三畳間が見えるだけだ。

「母は仕事で遅くなるとかで……兄貴に用ですか？」

「うん。またちょっと訊きたいことがあってね」

「そうですか」

勇樹は鉛筆を置いて立ち上がると、奥の三畳間から座布団を持ってきて高間の前に差し出した。客が来たらこういうふうにしろと、母親からいわれているのかもしれない。

「その後どう？　君たちの間で事件のことが話題になったりするのかい？」

上がり框《かまち》に座布団を敷き、高間は腰を下ろした。勇樹は首を振った。

「いえ、あまり……そろそろ皆飽きてきたみたいです」

「ふうん、そうかもしれないね。今は何が話題なのかな？」

「何かな……」と勇樹は首を捻った。「そういえば今日なんかは、東京五輪記念メダルのことを話してました。わざわざ並んで買いにいったやつがいるんです」

四月十七日に発売開始の記念メダルは、貴金属店に長蛇の列ができるほどの人気だったらしい。高間も新聞で読んでいた。

「なるほど、今年はオリンピックだものなあ」

今の高校生活には楽しいことが無数にある。自分に無関係な事件など、すぐに忘れてしまうのかもしれない。

高間は卓袱台の上を見た。よく使いこまれた英語の教科書を前にして、勇樹は白い紙に英文をびっしりと書き写していた。その紙はどうやら商店街のチラシで、その裏を使っているようだった。

「君は努力家なんだね」と高間はお世辞でなくいった。「兄さんの方はどうなのかな？」

「どうって？」

勇樹は怪訝そうに黒目を動かした。

「つまり——須田投手といえば天才という評判だけど、やっぱり努力も人一倍やっているんだろうね」

「もちろんですよ」

勇樹は心外だとばかりに力をこめた。「兄貴に人並み外れた才能があるのはたしかですけど、それ以上に努力の方がすごいです。普通の人には考えられないような訓練をしています。うまくいえないけど……とにかくすごいんです」

いってから自分の声の大きさに気づいたのか、勇樹は少し顔を赤らめた。そんなようすを高間は好ましく感じながら、

「じゃあ例えば学校から帰ってきてからも、自主トレーニングみたいなことはするんだろうね」

と訊いた。

「します」と勇樹はいった。「殆ど毎日出かけます。近所の石崎神社でトレーニングしているんです」

「石崎神社か……」

その名前を高間は、北岡里子からも聞いていた。明もその神社に行っていたということだった。やはり二人は一緒にトレーニングしていたのだ。

高間が考えこんでいると、突然玄関の戸が開いて見知らぬ男が現れた。高間も驚いたが、相手の男も驚いたようだ。しばらく目を合わせたあとで、その男は入ってきた。

ねずみ色の作業服を着た中年男だった。赤ら顔で、薄い髪をポマードでぺったりと固めている。スイカのように突き出た腹が異様だ。かすかに酒の臭いがした。

「須田さんはまだかい？」

と男は勇樹に訊いた。彼の母親のことを尋ねたらしい。

「まだです。今夜は遅いと思います」

勇樹が不快そうに顔を曇らせるのに高間は気づいた。

「そうか。じゃあ待たせてもらおうかな」

いってから男は高間の方をじろじろと見た。いったい何者だという目つきだ。

「まだまだ帰ってきませんよ」

勇樹がいったが、男は構わず靴を脱ぎかけている。そこで高間はいってみた。

「出直されたらどうですか。御近所なんでしょう？」

男は片方だけ靴を脱いだ状態で、彼を睨みつけた。「誰だ、あんた？」

仕方なく高間は警察手帳を出すと、途端に男の表情が変わった。

「刑事さんですか……ああ、例の開陽の学生が殺《や》られたって事件ですね。この家の息子が何か？」

「いや、ちょっと訊きたいことがあるだけです」

「そうですか。いやね、私はこの先で鉄工所をやってる山瀬って者ですが、ここの奥さんに頼みこまれちまって、少々お金を貸したんですよ。ところが期限を過ぎても返してもらえないものですから、こうして足を運んでるってわけなんです」

醜い愛想笑いから目を外し、高間は勇樹を見た。勇樹は卓袱台の一点を見つめている。

「というわけでね、せっかく来た以上、手ぶらじゃ帰れないんですよ」

山瀬はもう片方の靴も脱いで、高間が座っている横から上がりこもうとした。だがこの時また玄関の戸が開いた。

「何をやってるんだ？」

低い声が響いた。上がり框に足をかけていた山瀬は、ぎくりとしたようだった。

「金は返すっていっただろ。勝手に人の家に入るなよ」

武志は山瀬の肩を摑んだ。振り向いた山瀬の顔におびえの色があるのを見て、高間はおやと思った。

「だから弟さんに断って……」

「帰れよ」と武志は静かにいった。「金は出来次第返しに行く。利息もつける。それで文句ないだろ？」

「しかし、いつのことになるか分からないんじゃあな」

そういいながらも山瀬は、ごそごそと靴を履き始めている。

「そうは待たせない。俺たちだって早いとこあんたと縁を切りたいんだ」

山瀬が何かいい返すかなと高間は思ったが、口の端を曲げただけで、結局何もいわなかった。

そうして乱暴に戸を開け、太った身体を揺すりながら出ていった。

「君のことを苦手にしているみたいだね」

高間はいった。ああいうタイプの男が、たかが高校生相手に簡単に引下がるとは思えなかった。

「兄貴がいると、おとなしいものな」

勇樹もいったが、武志は何も答えずに高間の横を抜けて部屋に上がった。身長があるので、鴨《かも》居《い》に頭が当たりそうに見える。彼は勇樹の横に座ると制服の上着を脱ぎながら、「おふくろは？」と訊いた。刑事のことなど眼中にないようだ。

「仕事で遅くなるって」

「ふうん。無理せずに適当に切り上げて帰ってくりゃいいのにな」

武志は台所へ行って、水を一杯飲んで戻ってくると、「それで、俺に何の用ですか？」とようやく高間の前に腰を下ろした。

高間はいった。「君は毎夜トレーニングに行くそうだね」

武志の顔がさっと弟の方に向けられた。勇樹は首をすくめている。余計なことをしゃべるなと、ふだんから武志にいわれているのだろう。

「北岡君のおかあさんの話によると、彼もそういって出かけることがあったそうなんだ。場所も同じ石崎神社でね。もしかしたら君と一緒にやっていたんじゃないのかい？」

武志はゆっくりと頷いて、「そうです」と答えた。

「やっぱりね。ところで彼はあの夜神社には行かなかったわけだが、そのことを君は聞いていたのかい？」

「いいえ、聞いていません」

「聞いていない？　すると君は待ちぼうけを喰わされたことになるね」

「いや、別に北岡が必ず来るというわけでもなかったんです。元々トレーニングは俺一人でやっていて、それを知った北岡が、時間のある時に付き合ってくれるようになったんです。だからあの夜も、ああ今日は来ないんだなと思っただけでした」

そういうことだったのか、と高間は軽い落胆を感じた。トレーニングを休む理由を、北岡が武志に伝えているかもしれないと思っていたのだ。

「捜査の方はどうなんですか？」

高間が口を閉ざしたからか、武志の方から質問してきた。珍しいことだな、と高間は思った。

「まあ、苦労しているよ」と彼は正直に答えた。

「手塚先生が犯人を見たっていう話ですけど」

高間は驚いて彼の顔を見返した。

「どうしてそれを知っているんだい？」

「今日先生から直接聞いたんです」

「へえ……」

「それに、何となくそういう噂が流れたんですよ。監督との仲のことも含めてね」

「…………」

二人のことは秘密ということになっているが、おそらく捜査員の一人から新聞記者あたりに漏れたのだろう。高間は暗い気分になった。

「手塚先生は、犯人の顔は見ていないっていってましたけど」

「うん、暗くて見えなかったそうだ。その時は自転車のライトも点けていなかったということでね」

「じゃああまり参考にはならなかったわけですか？」

「期待したほどにはね」

「残念でしたね」

「全く、そう思うよ」

高間は顔をしかめた。

礼をいって須田家を出た高間は、また例の入り組んだ路地を、ゆっくりと思いだしながら歩いた。日はすっかり暮れているので、余計わかりにくい。結局、来た時の倍近い時間をかけて、ようやく見覚えのある通りに出た。

ほっとひと息ついた時、後ろからリズミカルな足音が聞こえてきて彼は振り返った。ついさっき別れたばかりの武志が、体操服姿で走ってきた。どうやらトレーニングの時間らしい。

「がんばるね」

自分の横を通過する時、高間は声をかけた。武志は軽く右手を上げて応えた。

——さすがだな

思わず高間は呟いていた。その彼の視野の中、武志の姿はみるみる小さくなり、やがて闇の中に消えた。

5

東西電機の爆弾騒ぎのことは、担当の捜査員たちも殆ど忘れかけていた。元々大した事件ではないという意識がある。被害が出たわけではないし、犯人に爆破の意思があったわけではない。たとえ首尾よく犯人を捕まえたにしても、悪質な悪戯程度で済まされてしまう可能性が大である。この一ヵ月の間には、それよりももっと凶悪な犯罪が頻発している。ただでさえ人手の足りない時に、悪戯に関わっている余裕はなかった。

もっとも、全く何の捜査もしていないわけではない。ダイナマイトの出所などは、かなり早い段階で判明していた。

ダイナマイトは、二年前に地元の国立大から盗みだされたものだった。この大学には工業化学科があり、そこが管理している火薬庫から盗まれたのだ。無論、被害届は出されている。だが幸い、そのあとにそれを使った犯罪は起こらなかったということだ。

現在は一部の捜査員が、東西電機に恨みを持つ者を当たっているという状況だった。しかし、それもあまり活発に行われているとはいいがたかった。

だが彼等を動揺させるような事態が起きた。

東西電機社長中条健一の家に、脅迫状が送られてきたのである。早速島津署の会議室に捜査員が召集され、その脅迫状の写しが配付された。捜査員の中には、県警本部捜査一課の上原もいた。

脅迫状は、定規を使って書いたと思われる四角い字で埋められていた。その内容は以下のとおりである。

『一ヵ月前、貴社に挨拶にうかがった者である。その後、こちらの準備が遅れて、何の連絡もしなかったことを、まず詫びたい。

本論に入る。

我々は前回進呈したもののほかに、いくつか爆薬の類を所持している。それを使えば、貴社工場のひとつやふたつは、造作もなく爆破できる。また、貴社に爆薬を仕掛けることがいかに容易であるかは、前回の例でおわかりのことと思う。しかし、大量殺戮は我々の望むところではない。

これは取引である。貴兄には今すぐ一千万円の現金を用意していただきたい。その金と引き換えに、我々の爆破計画を中止することにする。

取引は四月二十三日に行う。午後四時半に、金を持って島津駅前のホワイトという喫茶店にて待つこと。その際、金は黒の鞄に入れ、取っ手の部分に白いハンカチをくくりつけておくこと。

また取引には、中条健一氏がひとりで来なければならない。こちらは貴兄の顔をよく存じているから、代役を使っても無駄である。
警察の介入が判明した場合は、即刻取引を中止する。
尚、前回の爆弾の贈り主が我々であることを示すため、あの時に付けておいた原始的な時限装置の構造と寸法を別紙に記した。これらは、新聞等では発表されなかったはずである。
それではよき結果を祈る。

約束した者より』

中条健一殿

本部長の説明によれば、脅迫状は今朝中条宅に届けられた。紀美子夫人が開封し、驚いて会社の健一に連絡したのである。そして健一氏はためらわずに警察に届けたのだった。消印は島津郵便局になっていた。東西電機のすぐ近くだ。

この脅迫状をめぐって、いろいろな意見が出された。果たして本当に爆弾を仕掛けた犯人なのかということも、そのひとつだ。これは間違いないだろうというのが一致した意見だった。時限装置の説明では、犯人にしかわからないような細かいことまで記してあった。

「ほかにも爆薬を所持しているというのは本当でしょうか？」

所轄署の刑事が訊いた。「我々が調べたかぎりでは、例の大学から盗まれた爆薬は今回の分だけです。単に威《おど》しているだけだと思うのですが」

「その可能性はあると思う。しかし安心はできない。数箇所から盗みだしているということも考えられる」

本部長は慎重な意見を述べた。

「犯人は革命グループのようなものとは考えられませんか？」

誰かがいった。

「いや、彼等ならもっとしっかりした武器入手ルートを持っているでしょう。それに、金を要求するだけというのは解《げ》せません」

これは上原の意見だ。何人かが彼に賛成した。

「そうだ。やつらなら、資本主義がどうのこうのとか書くに決まっている」といった者もいた。中年のベテラン刑事だった。

指定の日は明日だった。とりあえず犯人の要求通りに行動するという方針が固められた。犯人が単独か複数かは不明だが、とにかく誰かが金を受け取りに現れる。そこを遠慮なく捕まえるという指示である。誘拐のように人質がいるわけでもない。

人員の配置が行われた。島津駅周辺や喫茶店に見張りを置くのは無論のこと、尾行用の車も何台か待機させる。犯人が喫茶店で取引するつもりとは考えがたい。そこからどこかに移動するよう指示してくるはずだった。

何人かの捜査員は今夜から中条家に泊まることになった。上原もその一人だった。

中条健一は、若い頃はなかなかの二枚目だったろうと想像させる紳士で、言葉遣いやさりげないしぐさにも品の良さが感じられた。捜査員たちが家の中にまで入ってくることに対しても、特に不快な表情を見せたりはしなかった。

「あるいは犯人は中条さん個人に恨みを抱いている者かもしれません。その点に関して何かお心当たりはございませんか？」

上原の上司である桑名が、かなり率直な態度で質問した。上原も隣で聞いている。応接間で、中条と向かいあった時のことだ。

「わかりませんね。そんなことはないと思うのですが」

中条は不安そうに首を傾げて見せた。自分が恨まれていることを知っている人間など、そう多くはいないものだ。

「『約束した者』という言葉で、何か思いだすことはありませんか？」

「ありません。いったいどういう意味でこんなことを書いているんだか……」

桑名も黙りこんだ。質問が思い浮かばなくなったらしい。

上原は、ここへ来るまでに中条健一の簡単な経歴は調べておいた。元々は東西電機の親会社である東西産業の社員で、戦時中は軍関係の仕事をしていたらしい。戦後しばらくして東西電機が設立されると彼もそちらに移ったが、渡部初代社長のアドバイザーとして手腕を発揮したということだ。中条の妻の紀美子は、渡部の一人娘である。

あまりにも順調な出世に、妬みを感じていた者が多かったのではないか、という意見が捜査員の中で出されている。明日の結果次第では、その方面を当たることになるだろう。

紀美子がコーヒーを持って現れた。渋い色遣いの和服を着ている。顔立ちは地味で、かつての社長令嬢とは思えない、というのが上原の正直な感想だった。ひたすら夫に仕える貞淑な妻という印象だ。

「お子さんはおられないんですか？」

紀美子が現れたからか、桑名は話題を変えた。中条は少し表情を和ませて首をふった。

「残念ながらできませんでした。結婚が遅かったこともあるんですが」

「失礼ですが、結婚はおいくつの時に？」

「もうそろそろ四十になろうかって頃ですよ。戦争がありましたからね」

中条は煙草を吸い始め、紀美子は頭を下げて出ていった。この話題を避けたがっているのが何となくわかる。桑名も敏感に察したのだろう。それ以後は口を閉ざした。

あるいは犯人からの連絡があるかもしれないと思われたが、結局翌日の午後になっても何もなかった。約束の時刻は迫り、出発の準備をしなければならなくなった。

中条の車には捜査員の一人が運転手として乗りこんだ。そのあとを上原らの車が追う。指定場所にはすでに捜査員が張っているはずである。

四時二十分に中条の車は島津駅前に到着した。車を路上に停めたまま、中条だけが降りる。上原は道路を一本挟んだ手前で車を停めてようすを見た。助手席の桑名は双眼鏡を取り出してきた。

中条は仕立ての良いグレーの三つ揃いを着ている。安っぽい商店が並ぶ光景と彼の姿は、何となくそぐわないような感じがした。東西電機の本社はこの近くだが、まさか社長がこんなところにいるとは、社員たちは夢にも思っていないことだろう。

中条はあたりを見回すと、鞄を持ったままゆっくりと歩きだした。あちこちに捜査員の姿があることに上原は気づいている。だが端から見れば、別にどうということのない駅前の風景だろう。

ホワイトという喫茶店は、大衆食堂に毛が生えた程度の垢抜けない店だった。ガラス戸を押して中条は入っていった。

「中のようすは見えますか?」

上原は双眼鏡を構えたままの桑名に訊いた。

「いや、全然見えんな」と桑名はいった。

それから十分ほど経って、中条は出てきた。心なしか先程よりも緊張の色が濃くなったようだ。鞄は持ったままである。

中条はあたりを見回すと、自分の車の方は見向きもせずにタクシー乗り場に向かった。そして待っていたタクシーに乗り込む。上原は車のエンジンをかけた。

「犯人からの連絡があったようですね」

「うん。たぶん店に電話がかかってきたんだろう」と上原。

タクシーは商店街を抜けて南に向かっている。上原たちもそのあとをつけた。

二十分ほどそうして走り、タクシーは昭和駅の前に到着した。中条が料金を払っているのが見える。鞄は持っているが、一応あのタクシーにも捜査員が接触するはずだ。

中条は大事そうに鞄を抱えたまま、ロータリーに沿ってゆっくりと歩いている。彼が立ち止まったのは煙草屋の前だ。店先に公衆電話がある。

「もしかしたら……」

上原がいいかけたのと同時に、煙草屋の親父が赤電話の受話器を取った。そして中条に何か話しかけている。犯人から電話がかかったのだ。

中条は受話器を取って話している。上原は回りに目を向けた。犯人はこの近くで中条の行動を見ながら電話しているはずだ。

電話は予想したよりも長いものになった。中条は掌で受話器を覆いながらしゃべっている。煙草屋の主人に聞かれないためだろう。

電話を終えると、中条は鞄を持ったまま、またぶらぶらと歩きだした。そしてバス停のところで足を止めると、鞄をベンチの上に置いた。ベンチには、老婆が一人座っている。

「どうする気だ」と桑名は身を乗りだした。

「あっ、中条氏が」

上原が声をあげたのは、中条が鞄を置いたまま、足早に後ろの本屋に入っていってしまったからだ。

「犯人め、あれを持って走るつもりか」

桑名は双眼鏡で鞄を凝視している。上原も目を離さなかった。また捜査員がどこからか現れて、鞄につかずはなれずの行動を取り始める。犯人が現れたら、すぐに取り押さえる態勢は整った。

だがこのあと何分待っても、鞄に異変は起こらなかった。バスを待つ客の中には、鞄を気にとめる者もいるが、手に取る者はいない。

犯人の指示を確認するためだろう。通行人を装った捜査員が本屋に入っていった。中条氏は中にいるはずだ。

「犯人のやつ、あきらめたかな」

桑名が呟いた時だ。本屋に入っていった捜査員が、血相を変えて飛びだしてきた。そして真っすぐこちらに向かって走ってくる。

「大変です」と、その捜査員はいった。「中条氏の姿がありません。裏口から連れ出された模様です」

全くわけのわからない事件だった。結局一千万円入りの鞄はそのままで、中条の方が犯人に連れ去られてしまったのだ。その経過を考えてみると、犯人の狙いが初めからそこにあったことは明らかだった。

桑名や上原らは、中条家で待機していた。皆口数が少なく、濃い疲労の色を浮かべている。

「奥さんは？」と一人が訊いた。

「二階だよ。俺たちとは顔を合わせたくないのだろうな」と、ほかの男が答えた。

「気持ちはわかるな。俺も情けないよ。それにしてもいったい何のために……」

何のために犯人はこんなことをしたのか？　何度も繰り返された疑問を彼は飲みこんだ。

二つのことが考えられた。まず一つは、犯人の本当の脅迫はここから始まるのではないかというものだ。つまり中条を人質にして、さらに高額の身代金を要求するのではないかということだ。

もう一つは、単に犯人は中条に対する恨みだけでやったということだ。この場合だと、中条の命が殆ど絶望的だということを、捜査員たちは知っていた。

上原は応接間に置かれた電話を睨んでいた。犯人からの連絡を待っているのだ。身代金要求の電話があれば、まだ脈があると思っている。中条が生きている可能性が強いのだ。

このようにして二時間が過ぎた。捜査員にとっては、胃の痛むような長い時間だった。

ところが――。

玄関で物音がしたのは八時になろうかという頃だ。二階から紀美子の降りてくる足音がした。何だろうと捜査員が耳をすました時、紀美子の叫びに似た声が届いた。

「あなた、いったいどうして？」

桑名をはじめ、応接間にいた刑事たちは廊下に飛びだした。そして玄関で立っている男を見て全員が呆然と立ち尽くした。

そこには中条の疲労困憊《こんぱい》した姿があった。

中条健一の話を整理すると以下のようになる。

喫茶店ホワイトで待っていると、四時半ちょうどに店に電話が入った。受話器を取ると、くぐもったような男の声が聞こえてきた。今すぐタクシーを拾い、昭和駅の前まで行け。駅前に煙草屋があるから、そこの公衆電話の前で待つこと。五時ちょうどに連絡する——というのがその内容だった。

そして五時ちょうどに公衆電話が鳴りだした。煙草屋の主人は彼を見て、中条さんかと尋ねた。そうだというと、受話器を寄越した。

同じ男の声が聞こえてきた。鞄を近くのバス停のベンチの上に置き、おまえは本屋に入れ。本屋には裏口があって、通り抜けられるようになっている——これが指示だった。

彼はそのとおりにして本屋の裏に出た。人通りの少ない細い道である。

「出た途端、後ろから何かを押しつけられたんです。刃物か、ピストルかはわかりません。中年の太った男でした。歩けというのでいわれるまま歩いていくと、道に車が停めてありました。黒い、たぶんプリンスのグロリアだと思います。私が乗りこむと、男は私の口に何か布のようなものを押し当ててきました。あっと声を出しかけた瞬間、ふわっと意識がなくなってしまったんです。おそらくクロロホルムを嗅がされたのでしょう」

気がつくと、薄暗いところで倒れていた。まわりに段ボールの空箱がいっぱい置いてある。監禁でもされているのかと思ったが、意外にも出口の戸に鍵はかかっていなかった。そして外に出てみて驚いた。そこは、中条の自宅から五百メートルと離れていないところにある廃ビルだったのだ。それで彼は驚いて帰ってきたというわけだ。

彼の話を聞いた捜査員たちは、早速そのビルに行った。人気のない場所に建てられた、今にも崩れそうな代物《しろもの》だった。

「このビルは工事の途中で会社が倒産したとかでね、中はまだ階段も出来上がっていない状態だっていう話です。まさかこんな所に連れてこられるとは思わなかったな」

説明した後、中条はため息をついた。

中は詳しく調べられたが、誰かが潜んでいた形跡はないようだった。

それにしても犯人の真意はわからない。ずいぶん手の込んだ方法で中条を誘拐したかと思えば、結局は何もせずに送り返す。何を考えているのか、全く不明だった。

「これは東西にかなり深い恨みを持つ人間の仕業だな」

廃ビルを見上げながら桑名がいった。「犯人は別に何も欲しくないんだ。ただ徹底的に悪意に満ちた嫌がらせをやりたいだけだ」

そしてそれに我々も振り回されたというわけか——桑名の言葉を受けて上原は思った。

6

その報せを受けた時、田島は自分の部屋で早朝勉強をしていた。インスタント・コーヒーを片手に、数学の問題をもう一問と意気込んだところで電話が鳴ったのだ。

田島は法学部志望だった。できれば国立、もしくは一流私大と考えているだけに、三年生になると同時に受験勉強を始めた。

——エースだったらこうはいかなかったな

彼は最近しばしばこう思う。自棄的な部分もあったが、半分は本心だった。早朝勉強なんかができるのも、控え投手に過ぎないからだ。

そこへ佐藤から電話がかかってきた。

佐藤の声は震えていた。日頃は流暢に話す彼が、たった一つのことを伝えるのに何度も吃った。

そして田島も、彼の話を聞くと同時に身体が震えだしてくるのを止められなかった。震えは彼が部屋に戻ってからもおさまらなかった。胸の鼓動は乱れ、軽い吐き気と頭痛が彼を襲った。頭の中は混乱していた。自分が今何を考えるべきなのか、全くわからなかった。何も整理できなかった。

だがそんな彼の脳裏に、わけもなくいくつかの映像が蘇ってきた。彼はどうしようもないまま、次から次と現れる映像に、ぼんやりと思いを馳せていた。

それは田島が野球部に入部した日のことだった。

彼の入部の動機は、高校時代に何かをしておきたかったという気持ちからと、中学時代に野球をしていたからという単純なものだった。当時の開陽野球部の弱体ぶりは有名で、チームとしての目標とか、そういったものは何ひとつなかった。その時の入部希望者は二十名ほどだったが、だいたいが田島と同じような動機だったらしい。

主将だった谷村という三年生は新入部員を整列させて、遊び半分では続かないということ、強い者だけが勝ち残る世界だということを長々と述べたが、どこか形式的な、説得力のない言葉としか感じられなかった。

やたら走らされるだけの一週間が過ぎたあと、新入部員の実力を見るということになった。未経験者はキャッチボールをし、経験者はノックを受けるというもので、投手経験のあるものは五、六球投げてみるということになった。投手の名乗りをあげたのは、田島を含めて三人だった。

最初に投げることになったのは松野という男だった。ランニングでやたら飛ばしていた男で、道具の後片付けの時も、一向に手を動かさずに中学時代の自慢話をしていたのを田島は覚えていた。

松野は変に格好をつけながらマウンドを踏みならすと、皆が見つめる中でようやく第一球を投げた。豪快なオーバーハンドだった。指先を離れたボールは白い軌跡を描いて、捕手のミットにおさまった。

緊迫していた空気が少し和んだように感じられた。特に当時のエースだった市川という三年生は、ほっとしたように表情を崩すと、隣にいた部員に何かしゃべりかけた。松野の球を見て、エースの座を奪われずに済んだと安堵したようだった。

そんな空気を察してか、松野はちょっとムキになったような顔をした。

「僕はカーブが主体なんです」

そして彼はカーブを二球投げ、次にまた真っすぐを投げた。だがその次に彼が投球モーションに入った時、主将の谷村はもういいといった。さらに、明日からは野手と一緒に練習しろと指示した。松野は泣きだしそうな顔で、もう少し投げさせてくれといったが、とりあってはもらえなかった。

次に田島がマウンドに向かった。さすがに少し緊張した。

彼はアンダースローだった。中学二年の時に転向して、三年の時にはこのフォームで県大会のベストエイトまでいったことがある。得意な球はカーブとスライダーだったが、松野の例があるので、あまり口に出さない方がいいだろうと思った。

まずは軽く投げてみたが、意外に伸びのある球がいった。皆の顔が、ほう、というようになった。

二球は少しスピードをつけてみた。さっきより、もっと納得のいく球がミットに決まった。エースの市川の顔が少し険しくなった。

曲げられるかと谷村が訊いたので、田島は得意球を披露することにした。彼はカーブとスライダーを二球ずつ投げてみた。全て満足のいく球だった。中でも二球目のカーブは落差があって、急造捕手が取り損ないそうになったほどだ。

「よし」と谷村は満足そうに声をかけた。「どこの中学だ?」

「三吉中学です」と田島は答えた。

「そうか三吉は強いからなあ」

そして谷村は彼に、明日から投球練習もするように命じた。

この時点で田島は、自分がエースの座を奪ったも同然だと確信した。市川も、エース候補の二年生も、大したことがないと知っていたからだった。

田島は内心有頂天だった。だから次に投げる者のことなど眼中になかった。

三番目に投げるのは、一部の新入部員が一目置いている男だった。その男の中学が際立った戦績を残していなかったので田島はよく知らなかったが、あいつはすごいよと誰かがいっていたのを覚えている。ただふだんは特に目立たない男で、話をしているのも田島は殆ど聞いたことがなかった。自己紹介の時に何をしゃべったのかさえ、記憶に残っていない。もっとも彼の名前を聞いた時、谷村らの顔色が少し変わったことには気づいていた。

その男は掌の中で何度もボールをこねたあと、ゆっくりとモーションに入った。派手さはないが、無理のない奇麗なオーバースローだった。軸足にたっぷりと重心が乗っていて、そのあとの体重移動もスムーズだった。そして弓のようにしなった肩から、鞭のように右腕がふりおろされた。バネが弾《はじ》くように飛び出したボールは、一瞬のうちにキャッチャーミットの中だった。

速い、と田島は思った。

見ていた全員が、一瞬沈黙した。球を受けたキャッチャーも、少しの間返球するのを忘れたようだ。

彼はそのあと三球ほど同じような球を投げた。しばらく口を開けたままだった谷村が、思いだしたみたいに、

「曲がる球はあるのか？」

と田島の時と同じように訊いた。本格的に変化球を投げたことはない、とその新入部員はいった。

「じゃあ今の速球が一番いい球というわけだな。よしいいだろう。おまえも明日から投球練習に参加しろ」

谷村は上機嫌でいった。

――エースの座はこいつとの争いになりそうだな
田島が気を引き締めた時、その男はマウンド上で独り言みたいにいった。

「一番いい球というわけじゃない」

この台詞に歩きかけていた谷村の足が止まった。「何だって？」

そいつは谷村に訊いた。「もう五球ほど投げていいですか？」

「それはいいが……」

谷村が何か訊きたそうにしたが、彼は構わずに投げる準備をした。捕手があわててミットを構えた。

さっきよりもフォームが少し大きくなったように田島には見えた。円弧を描いた右腕から離れたボールは、一瞬のうちに皆の視界を横切った。今までよりもはるかにスピードのある球だった。

「速え……」

田島の横で松野が呟いた。自分が投手を降ろされたことも忘れて、今は呆然と口を開いている。

彼だけでない。谷村をはじめ、皆が言葉をなくしていた。

だが本当に驚くのはこれからだった。

その男は続けて一球二球と投げこんでいったが、その球速はますます増していくようだった。沈黙のグラウンドに、その男と捕手の、ボールをやりとりする音だけが小気味よく響いた。

圧巻は最後の球だった。最大パワーを凝縮するように、バネのような身体が一瞬縮んだかと思うと、彼の腕は振りおろされた。ひゅうという音が、田島のところまで聞こえそうな勢いだった。白球はすでにホームプレート上で、そこでぐうっと伸びると、激しい音とともにミットにおさまった。三年生の捕手はその衝撃で後ろに尻餅をついた。

皆は度胆《どぎも》を抜かれていた。ひっくり返った捕手もそのままだった。その状態でひとしきり時間が過ぎた。

この場の主役は、マウンド上で平然と皆を見回していた。

――これが俺のボールだ
そういっているように田島には見えた。

それが東昭和中学の須田武志だった。

開陽の須田という名前が高校球界に知れわたるきっかけとなったのは、その夏のことだった。

全国高校野球県予選一回戦で、開陽は強豪佐倉商業と当たった。佐倉商業はその春の選抜大会に出場しており、この夏も優勝候補と見られていた。

そういう力関係だったから、この試合の結果は明白だと思われた。事実、開陽の応援に駆けつけたのは選手の身内ぐらいだった。当の選手たちも勝てるとは思っていなかった。何点取ろうとか、相手を何点に抑えたいとかいう目標もなかった。

案の定開陽のエース市川は、初回早々につかまった。いい当たりが正面をついてワンアウトはとれたが、そういう幸運は続かない。市川が渾身の力をふりしぼって投げる球を、佐倉商業の打者たちは、いともあっさりと打ち返してきた。バットの先にまで神経が行き届いているような正確さだったが、相手にしてみれば市川の球が打ちやすいということに過ぎなかったのだろう。

あっという間に一点を取られ、しかもまだ一死二、三塁だった。試合開始から、十分も経っていなかった。マウンド上の市川は顔面蒼白で、しかも何回も投げたあとのように大きく肩で息をしていた。佐倉商業のベンチには笑いが漏れていた。

ここで開陽の監督である森川は、投手を交代させた。市川が下がり、代わって一年生の須田武志がマウンドに上がった。途端に相手ベンチからヤジが飛んだ。早くも勝負を投げたように見えたのだろう。だがそのヤジも、武志が投球練習を始めると同時に、少しおさまったようだった。

試合が再開された。

武志の第一球は、外角に遠く外れるボールだった。二球目も高めのはっきりしたボールで、ノーコンというヤジが相手から浴びせかけられた。彼がこんなにコントロールを乱すのを、田島は見たことがなかった。

そしてその三球目は投げられた。彼の手からボールが離れた瞬間、あぶないと誰もが胸の内で叫んだに違いない。内側の速球だった。打者はとびのくようにして逃げたが間にあわなかった。鈍い音がしたかと思うと、打者は脇腹を押さえてうずくまった。

相手側の何人かの選手が駆けよった。捕手だった北岡も心配そうに覗きこんでいる。武志も帽子をぬぎながらマウンドから降りてきた。

やがてその打者は立ち上がり、少し顔をしかめながらも一塁に向かった。そしてそれぞれの選手が元の位置に戻り、試合は再開されることになった。特にどうということのない、よくあるシーンだった。初登板の一年生投手が、緊張のあまりコントロールを乱しているという印象を皆に与えただけだ。

だから次打者に対する武志の第一球は、見ている者の意表をついたものだった。その球はまたしても内角高めの速球で、しかもぎりぎりいっぱいストライクに入ったのだった。打者はさっきの死球のことが頭にあったのか、腰を引いてその球を見送った。

二球目も同じようなコースだった。打者はバットを振ったが、かすりもしなかった。

三球目は外角に外れる緩《ゆる》い球だった。だが何を思ったか、打者はそれを腕をいっぱいに伸ばして打ってきたのだ。バットの先に引っ掛かったボールは武志の前に転がり、捕手、一塁手と転送されて、たちまちチェンジになってしまった。

開陽の選手は大喜びだったが、佐倉商業の選手は皆呆気にとられたような面持ちだった。初回だけで十点ぐらい取れると思ったのが、結局一点止まりなのだ。

この影響は、その裏に早速出た。抑えようと力んだ相手投手は四球を連発し、あげくの果てにタイムリー三塁打を打たれたのだ。あっという間に二対一と逆転され、たまりかねたように佐倉商業側も投手の交替を告げた。開陽相手ということで、それまでは控え投手が投げていたのだ。

エースが出てきて結局その回はそこまでだったが、佐倉商業は明らかにあわてていた。須田武志の球に対し、何かにせかされるみたいに早打ちをしだしたのだ。武志は緩い球と覚えたてのカーブで相手のタイミングを外し、時折自慢の速球を胸元に決めて腰を引かせた。佐倉商業打線は面白いように凡打を繰り返し、開陽の野手は練習でも見たことがないような軽快な動きを披露した。

そういうふうにして試合は流れていった。佐倉商業の監督の怒鳴り声が、開陽ベンチにまで聞こえてくる。その声を聞いて開陽ナインはリラックスし、佐倉商業ナインはますます固くなっていくようだった。

九回の表が三者三振で終了した時も、佐倉商業はまだ信じられないという表情だった。それは開陽側も同じで、本塁横に整列するのが少し遅れたほどだった。

「一回の表がすべてだった」――記者の質問に両校の監督は同じことをいった。

開陽の森川はさらに、「あの死球で須田は開き直ったようだ」と付け加え、相手校の監督も、「思いきった投球をする素晴らしい投手だった」と武志のことを褒めたあと、「それにしてもあの死球につけこまなければならないのに、うちの選手は逆に逃げ腰になってしまった」と悔やんだ。

たしかにあの死球が勝負をわけたように思えた。あれで満塁になり、次の併殺を呼ぶことになったのだから。「あの死球は怪我の功名だった」——主将の谷村もそんなふうに表現した。「須田がボールを連発した時は、どうなることかと思った」ともいった。

田島もそんなふうに考えていた。あの須田でも緊張することがあるのだな、と。

この真相を知ったのは、この日の帰りの電車の中でだった。北岡と隣合わせたのでその話をしてみると、彼が急に不機嫌な顔をしたのだ。

「偶然だと思っているのかい？」と彼は訊いた。

「偶然って？」

「あのデッドボールだよ。たまたま当たったと思ってるのかい？」

「…………」

「須田のやつ、狙って投げたんだ。俺にはわかるんだよ」

「どうしてそんなことを……」

「あとを片付けやすくするためだよ。佐倉の連中のへっぴり腰を見ただろ」

田島は驚いて武志の方を見た。北岡が耳元で続けた。「そういうやつなんだよ。あいつ、人に当てるのも名人級なのさ」

当の武志は大金星をあげたことも忘れたように、車窓を流れる景色をすました顔で眺めていた。

これ以後の試合では、すべて武志が登板した。味方のエラーが原因で三回戦で敗れたが、須田の名前はこの大会をきっかけに県外にまで知られることになった。

田島はこの二年間の武志の投球を思い出していた。どれもみな、田島にとっては驚異的なものだった。完全試合、奪三振二十、三試合連続完封——どの試合でも田島が舌を巻くのは、武志の精神力だった。どんな局面でも、彼はまるで氷の心臓を持っているように冷静だった。冷静すぎて恐いほどだった。

——すごいやつだった。ものすごいやつだったのに……

田島は唇を嚙んだ。

その天才須田が殺されたのだ。

伝言

1

石崎神社の東側にある林の中で須田武志の死体は発見された。見つけたのは、毎朝この付近を散歩するという近所の老婆だった。

死体は腹部を刺されており、それがおそらく致命傷であろうと判断された。もがき苦しんだあとが、地面の上にはっきりと残っていた。

だが死体から受ける残酷な印象は、腹部の傷によるものではなかった。

「ひどいことをするな」

捜査員のひとりが呟いた。武志の死体は、右腕を肩のあたりから切断されていたのだ。彼の回りには夥《おびただ》しい量の血が流れ出ていた。

「腹を刺すというやり方は北岡明の時と同じですね。同一犯人でしょうか?」

死体を見下ろしながら小野が囁いた。

「それはまだわからんな」と高間は小声で答えた。「腹を刺されているのは同じだが、北岡は腕を切られていたわけじゃない」

「その代わりに犬を刺されてましたね」

「……そうだったな」

犬と右腕――いったいどういうことだと高間は口の中で呟いた。

高間は監察医のそばに寄っていき、凶器は何かと尋ねた。村山という初老の医師は、度の強い眼鏡を押し上げるしぐさをしてから、

「前の少年の時と同じじゃないかな」と答えた。「薄い小刀のようなものだよ。包丁や登山ナイフの類《たぐ》いではない」

するとやはり同一犯人か？

「腕もそれで切り落としたんでしょうか？」

「いや、あれはそんな刃物じゃ無理だ」

「すると何でしょう？」

「たぶん鋸《のこぎり》だね」

「鋸……」

「そう。かなり時間がかかったとは思うがね」

のこぎり――高間は唾を飲んだ。人気のない神社の林の中で、鋸をひいて死体の腕を切り落とす犯人の姿は、とても正常な世界の光景とは思えなかった。

「死亡推定時刻は？」

「昨夜の八時から十時頃ではないかな。くわしいことは解剖の結果次第だが」

北岡の時と同じような時間帯だな、と高間は思った。

彼が考えこんでいると、小野が呼ぶ声がした。小野は死体のそばで鑑識課員と一緒に屈《かが》んでいる。

高間が近づいていくと、「何か文字が書いてあるんですよ」と小野はいった。

「文字？」

「ここです」

小野が指差したのは、死体のすぐ右の地面だった。見るとたしかに、小枝か何かで地面に文字を書いてある。カタカナらしきもので四文字だ。

「アキコウ……でしょうか？」

「ふうむ」

小野のいうように、それはアキコウと読めた。だが何のことやらさっぱりわからない。

「わからないな」と高間は首を捻った。

「わかりませんね。人の名前でもなさそうだし」

高間は口の中で繰り返した。アキコウ、アキコウ……。

「もし須田武志が書き残したものだとしたら、これもまた北岡明との相違点ということになりますね。北岡はこんなメッセージは残さなかったわけですから」

「そうだな」

何となく聞き流して高間はそこから離れかけた。だがすぐに彼は足を止めた。

――北岡もメッセージを残していたぞ

高間は引き返し、その文字を見直した。どきんと心臓がひと跳ねした。

「小野、これはアキコウじゃないぞ。アじゃなくてマ、コじゃなくてユだ。マキュウ……魔球と書いてあるんだ」

須田親子を石崎神社の社務所に待たせてあるということなので、北岡事件の時からの関係で高間たちが話を聞くことになった。気のりのしない仕事だ、と高間は思った。

所轄署の刑事に見守られ、須田志摩子と勇樹は狭い社務所の冷えた畳に座って待っていた。彼等の前には茶の入った湯のみ茶碗が置いてあったが、口をつけられたようすはなく、この部屋の空気と同じように冷たくなっていた。

話によると、武志の死体を確認した時には、志摩子はまるで半狂乱の状態だったらしい。だが今は少し落ち着いたのか、ハンカチで両目を押さえているだけだった。

勇樹は土気《つちけ》色《いろ》の唇をつぐみ、首をうなだれたまま正座していた。頬に涙を拭いたあとが残っている。悲しみをこらえるように両手で膝頭をきつく握りしめていたが、その指の爪が奇麗に切られているのが高間には印象深かった。

「このたびはどうも……」

二人の姿を見て高間が声をかけた。もう少し気のきいた言葉をかけたかったが、咄嗟《とっさ》には思い浮かばなかったのだ。遺族にはいつもどんな言葉をかけていたのだろうかと考えたが無駄だった。

「早速ですが、武志君がいなくなったのはいつですか？」

高間が訊くと志摩子は目からハンカチを離し、それを掌の中で握りしめた。

「昨日の夜です。トレーニングに行くといって出たっきり帰ってこなかったので、心配していたところでした」

「時間は？」

「七時半頃だったと思います」と勇樹が横から答えた。「兄貴が出ていく時、母はまだ仕事から帰っていなかったんです」

そういえば先日自分が行った時も志摩子は留守だったなと高間は思いだした。

「兄さんが出かける時に何か変わったことはなかったかい？」

「別に何もなかったと思います」

血の気の失せた顔を振って、勇樹は答えた。

その後の高間の質問に対する二人の回答をまとめると次のようになる。

七時半頃出ていった武志は、十時頃に志摩子が帰宅して遅い食事を始めようとした時にも戻らなかった。トレーニングに夢中なのだろうと思ったが、それから小一時間経っても帰ってこない。それで勇樹が神社まで探しにきたが、武志の姿は見つからなかった。もっともこの時勇樹が探したのは神社の境内だけで、林の中までは調べなかったらしいのだ。

このあと勇樹は自転車に乗って武志がランニングしそうな場所を走り回ってみたが、どこにも兄の姿はない。諦めて家に帰った時には十二時を過ぎていた。

「昨夜のうちに警察に届けようかとも思ったのですが、ひょっこり帰ってきそうな気がして、今朝まで待っていたのです」

志摩子はまたハンカチを目に押しあてた。彼女の目は真っ赤だったが、息子の死を知る以前に、寝不足のため充血していたに違いなかった。

次に高間は、武志が殺されたことについて何か思い当たることはないかと訊いた。志摩子も勇樹も、全くないと断言した。右腕が切断されたことについても同様だった。改めて志摩子の涙を誘っただけだ。

「ところで」

高間は少し迷った後、二人に『魔球』という言葉に心当たりはないかと訊いてみた。だが予想通り二人とも、思いつくことはないと答えた。

二人に礼を述べると、高間は後を小野に任せて現場に戻った。死体はもう片付けられており、そのそばで班長の本橋が若い刑事に何事か指示していた。

「何か見つかりましたか？」と高間は訊いてみた。

「だめだ」と本橋は渋い顔をつくった。「腹を刺した凶器も、腕を切り取るために使ったはずの鋸も見つからん」

「足跡はどうですか？」

このあたりは地面が柔らかいので、足跡が残っていても不思議ではない。

「いくつかあるが、どうも全部武志のもののようだな。ところどころ地面をこすったような跡があるから、犯人のやつ、どうやら自分の足跡だけは消していったらしい」

「指紋がとれそうなものもありませんか？」

「今のところ望み薄だ。それから——」

本橋は高間の耳元に口を近づけて、「右腕も見つからん」といった。

高間は顔をしかめた。

「凶器を持ち去るのはわかりますが、右腕もないというのは少し異常ですね」

「少しどころか相当異常だ。いったい何のためにそんな残酷なことをしなきゃならんのか、さっぱりわからん。須田武志にキリキリ舞いさせられた他校の野球部員の仕業じゃないかと、冗談めかしていうやつがいたから怒鳴ってやった」

たちの悪い冗談を本橋は嫌うのだ。だが、全く考えられないことでもないと高間は内心思っていた。

「怨恨とすれば相当深い恨みを持った者ですね。鋸を用意していたということは、殺す前から腕を切断するつもりだったということになる」

「須田武志にそれほどの憎しみを抱く者がいたかどうか——だな。ところで家族の方はどうだ？」

「一通りの質問は済ませましたが……」

高間は須田親子の話を整理して伝えた。あまり手掛かりになりそうにないからか、本橋の渋い表情は変わらなかった。


目撃者が見つかったという情報が入ったのは、高間たちが引き揚げようとした頃だった。近くの売店の女主人が、昨夜武志の姿を見たらしいのだ。八時頃、公衆電話をかけていたということだった。

「須田が電話をかけていたのは三分ぐらいだったそうです。どこにかけていたのかは、もちろんわかりません」

聞き込みをしてきた若い捜査員は、そういって本橋に報告した。

「話の断片でもいいから、その女主人は覚えていないのか？」

「それも訊いたのですが、客の話を盗み聞きするようなことはしないと怒られまして。ただ受話器を置く時に、『じゃ、待っている』というようなことをいったことは覚えているんだそうです」

「じゃ、待っている……か」

「あるいは、『待っています』だったかもしれないと。はっきりしないんです」

「ふうん」

聞き終えてから本橋は高間を見た。「どこに電話をかけていたんだろうな？」

「今のところ見当もつきません」と高間は首をふった。「しかし武志がその相手を待っていたのはたしかですね。この神社で」

「そしてその相手と会ったことも、たぶんたしかだ。その相手が小刀と鋸を持ってきたこともな」

「そうらしいですね」と高間は頷いた。

引き揚げる途中、高間はその売店を覗いてみることにした。石崎神社の鳥居をくぐって石段を下りると、緩やかな下り坂が真正面に延びている。その先がT字路になっていて、角に問題の売店があるのだ。高間は細い坂を歩きながら回りを見渡した。道の両脇には、土塀に囲まれた旧家が並んでいる。このあたりの住人は畑を持っているので夜が早いということを、捜査員のひとりが話していたことを高間は思いだした。八時を過ぎると人気はないし、九時には家の灯りが消えて真っ暗になるということだった。このあたりで唯一灯りがともるのは、石崎神社の神殿の前だけだ。賽銭《さいせん》どろぼうが後を絶たないのでその対策として常夜灯をつけたのだそうだが、その灯りのおかげで須田武志もトレーニングができたのだろう。

しばらく歩くとT字路に出た。右の角に売店があった。ちょっとした食料品を置いた店で、端が煙草屋になっている。そこで五十過ぎぐらいの痩せた女が、眠そうな顔で店番をしていた。店の前の台に赤電話が載っている。

高間は近寄っていってハイライトを二箱買った。それから身分を名乗り、昨夜の男が使ったのはこの赤電話かと訊いた。そうですよ、と女はやや面倒臭そうに答えた。

「その男がダイヤルした時、何かメモを見ていましたか？」

「メモ？　ああ、そういえば何か紙きれみたいなものを見てましたよ。それを見ながらダイヤル回してたみたいだけど」

ということは武志は相手の電話番号を覚えていなかったということだ。だから番号を紙に書いておく必要があった。その紙は死体からは見つかっていないから、犯人が処分したのかもしれない。

ただ、武志が電話番号を覚えていなかったということで、容疑者を絞れるかどうかは甚だ怪しかった。というのは武志の家には電話がないので、彼にはあまり電話をかける習慣がなかったはずだからだ。

高間はさらに、電話をかけていた男に何か変わったところはなかったかと訊いた。何も気づかなかった、と煙草屋の女主人は答えた。

売店をあとにして、高間は歩きながら考えた。武志は昨夜、果たして誰と会ったのか？　何のために人気のない場所で会ったのか？

もしかしたら相手は北岡明を殺した犯人ではないか、という考えにはすぐに行きついた。武志は犯人を知っていて、昨夜呼び出したのではないか。そして彼もまた同じように殺された。

——もしそうだとしたら、武志にはなぜ犯人がわかったのだ？　そしてなぜ彼はそれを隠していたのだ？

謎はまだあった。犯人はなぜ武志の右腕を切断したのか？　人ひとりを殺すということもそうだが、死体を切るという作業もかなりの大仕事だったはずだ。現場に長くいればそれだけ犯人にとっては危険だ。その危険を冒してまで右腕を切りとらなければならない理由とは、いったいどういうものなのか？

――それに例のダイイング・メッセージ、『魔球』だ……

もちろん高間はその言葉を忘れていなかった。というより、ずっと心の中に引っ掛かっていたというべきだろう。

前にこの言葉に出会ったのは北岡のアルバムの中だった。甲子園での写真の下に、「魔球を見た」というコメントがついていたのだ。

これは偶然ではない、と高間は確信した。二人は同じ言葉をダイイング・メッセージとして残したのだ。

魔球――彼等はいったいどういう意味を込めて、この伝言を残したのか？

2

田島が門をくぐった時、突然右手をぐいとつかまれた。振り返ると佐藤がじっと見つめていた。ついて来いというように顎をしゃくる。その真剣な目にひきつけられるように、田島は何もいわずに足の向きを変えた。

――マスコミ連中はまだ来ていないようだな

他の生徒達もまだ事件のことは知らないようだった。登校する途中、田島は何人かの友人と逢ったが、誰もそんな話題は出さなかった。佐藤は一体どうして知ったのだろうと、埃っぽい学生服の背中を見ながら彼は思った。

野球部の部室には、すでに宮本をはじめ直井、沢本らの三年生が待っていた。彼らの表情から察すると、事件のことはすでに知っているらしい。

「全員そろったようだな」

突然背後から声がした。振り向かなくても、それが森川の声だということはすぐにわかった。

「みんな事件のことは聞いてくれたと思う。実は今朝早く警察から連絡が入ったのだが、その時の話では今日学校で事情聴取をしたいということだった。どういう内容の質問をされるのかは見当がつかんが、おそらく野球部内の事について訊かれるのは確実だと思う。特に須田も北岡も三年だったから、やっぱりお前達に話が及ぶだろう。そこでまずこうして集まってもらったわけだ」

森川は一人一人の顔を順番に眺めながら、嚙んで含めるように説明した。

森川はおそらく佐藤にその連絡係を頼んだのだろう。それで佐藤は逸早《いちはや》く事件を知ったということらしい。

「警察は俺達の中に犯人がいると思っているんですか」

直井がうつむいたままいった。暗い声だった。

「その可能性もある、とは考えているだろうな」

森川の言葉に全員が顔を上げた。

「しかし今はそんなことは関係ない。今やらなくてはならないことは、事実のみを語ることだ。だからお前たちに訊きたい。北岡と須田が殺されたことについて本当に何も知らないのか？」

森川はまた順番に皆の顔を見た。しかし今度は少し時間をかけた。皆ゆっくりと首を振った。

「よしわかった。後は俺に任せてくれ。お前たちは何も心配しなくていいからな。ただし練習は当分控えてくれ。こんな状態だと身が入らんだろうし……な」

そういうと森川は部室のドアを開け、出て行こうとした。その背中に、

「待って下さい」

と声をかけた者がいた。直井だった。

「何だ？」と森川は訊いた。

「監督はどうなんですか？　俺たちの中に犯人がいると思っているんですか？」

田島は驚いて直井の顔を見た。しかし場違いなことをいったつもりはなさそうで、じっと森川を見つめて返答を待っている。

やがて森川が重苦しそうに口を開いた。

「俺は無能だからな。試合中と同じさ。いつだってお前たちを信じるしかない。そんなことは、お前たちにとっては何の力にもならないだろうがな」

そういって森川は部室を出て行った。ドアの閉まる音が、しばらくの間響いていた。

残った五人は黙っていた。濁った空気が澱《よど》んでいるようだった。

「俺は」

と最初にいったのは佐藤だった。「昨夜は家から一歩も出なかった」

「それがどうしたんだよ」

直井が刺すような目で佐藤を睨んだ。その目に少し後ずさりしながら、「事実だ」と佐藤は続けた。

「監督もいってただろ、必要なのは事実を語ることだって。はっきりしていることは、はっきりさせなきゃ」

「犯人は自分以外の人間だっていいたいのか」

直井は素早く佐藤の前に立ちはだかると、彼の襟元をぐっとつかんだ。佐藤はその手をふりほどこうとしながら、「事実だ。事実をいってるだけだ」と繰り返した。

「やめろ」

長身の宮本が二人の間に割って入った。それでようやく直井も手を離した。

「俺たちがどうして須田を殺すはずがあるんだよ。警察だってそれほどバカじゃないさ」

宮本がなだめたが、

「わかるもんか」

と吐き捨てるように佐藤はいった。「俺たちが須田や北岡のことを妬んでやったと思うかもしれないぜ。警察だけじゃない。学校中の奴らがそう思ってるかもしれない」

「それで自分だけはアリバイがあるってわけか」

直井がまた佐藤につっかかりそうになるのを、宮本が手で制した。

田島は彼等のやりとりを空しい思いで眺めていた。チームメイトが死んだというのに啀《いが》み合っている様子は、北岡が殺された時に、何よりもまず次期主将のことを心配していた事と何ら変わりはなかった。いや、ほんの少しでも故人の思い出を語った分だけ、前回の方が救いがあったか。

田島はこの中には犯人はいないと確信した。あの天才須田がこんな連中のために命を落とすわけがないと思った。

その時、今まで黙っていた沢本がぽつりといった。

「だけど僕たち全員が容疑者として、アリバイを調べられることは確実だろうな」

全員が彼の方を見た。それで彼はたまらずうつむいたが、「捜査の第一歩は疑うことから始まるっていうから」と、これは意外にはっきりした声だった。

「アリバイったって、そんなに詳しくじゃないだろう？　だいたいでいいんだろう？」

いつもはおとなしい沢本がいったせいか、宮本は少しおびえていた。

「わかんないよ。時刻ぐらいは正確にいえなきゃいけないかもしれない」

「弱ったな、アリバイなんかないよ」

宮本は本当に心配そうだった。

「俺は家にいた。証人もいる」

佐藤が再びいったが、今度は直井も何もいわなかった。ただ、じろりと睨んだだけだ。

――俺は何をしていたかな

田島は一瞬考えた。そして一瞬でもそんなことを考えたことを恥じるようにうつむくと、そのまま皆の顔を見ないようにして部室を出た。

3

この日の昼前になると、高間と小野は開陽高校の応接室に来ていた。窓の外のグラウンドでは、体育の授業で女子生徒たちがバレーボールをしている。彼女たちもすでに須田武志が殺されたことは知っているはずだった。

ノックの音がして森川が入ってきた。彼は高間たちに会釈すると、黙ってソファに座り、顔を両手でこするようなしぐさをした。

「校長あたりはあわてているんだろうな」

高間が話しかけると、森川は疲れきったという顔で頷いた。

「散々責められたよ。監督不行き届きだとね。俺は野球の監督をしているだけだといい返したかったが」

「部員たちのようすはどうだ？」

「かなり狼狽《ろうばい》している。まあ無理もないが」

「いろいろ訊きたいことがある」

「俺にか、それとも部員にか？」

「両方だ。――最後に須田武志に会ったのはいつだ？」

森川は深くため息をついてから、「北岡の葬式の日だな」と答えた。

「それ以後は少し忙しくて、部の練習に出られなかったんだ。授業では顔を合わせないしな」

「須田は北岡が殺されたことについて、何かいってなかったか？」

「いや」と森川は首をふった。「そういう話は交わしていない。これから大変になるなと声をかけたら、まあ何とかやりますと答えてきただけだ」

何とか――いったいどうするつもりだったのだろうと高間は思った。

「須田の右腕が切断されていたことは知っているな？」

高間が訊くと、森川は顔をしかめた。

「何のために、そんな残酷なことをするんだろうな」

「それについて何か思い当たることはないか？」

「須田の右腕に恨みのある人間は多いだろうな。しかしそれは別次元の話だ」

同じようなことをいった捜査員がいたことを、高間は思いだした。

「おまえの部屋に鋸はあるかい？」

「鋸？　そりゃあ、あるが……」

いってから、森川は不快そうに眉を寄せた。「その鋸で須田の腕を切り落としたと疑っているのかい？」

「まあそう怒らないでくれ。念のために、今夜にでも鋸を借りに行きたいのだが」

すると森川はうんざりした顔でズボンのポケットから鍵を出し、それを高間の前に置いた。

「アパートの鍵だよ。玄関を入って、靴入れの上に工具箱が置いてある。勝手に調べておいてくれ」

高間は少しの間その鍵に目を落としていたが、「すまんな」といって手に取ると、隣の小野に渡した。

「鍵はすぐに返しに来るよ」

「部員の家にも別の刑事が行ってるんだろうな。鋸を借りに」

高間は答えなかったが、森川のいうとおりだった。須田武志の腕を切った鋸なら、血液反応をみればすぐにわかる。

「質問を変えよう」と高間はいった。「魔球という言葉で何か思い出すことはないか? 悪魔の魔に、野球の球だ」

「魔球?」

突然予想もしていない言葉を聞かされたからか、森川は怪訝な顔をした。「それが事件にどういう関係があるんだい?」

高間はダイイング・メッセージのことを話した。森川はさすがに驚いたようだが、『魔球』という言葉には心当たりはないと答えた。須田武志や北岡明がそういう言葉を使っていたという記憶もないらしい。

「それにしても、どうしてそんな言葉を書き残したんだろうな?」

森川も首を捻っていた。

次に高間は昨夜のアリバイを尋ねた。このことは予期していたらしく、森川はさほど意外な顔も見せず、「昨日の夜は一人でアパートにいたよ」といった。

「今度は間違いなく一人だ。だから証人はいない」

「誰かに電話をかけたり、誰かから電話がかかってきたことは？」

「昨夜はなかったな」

「話は変わるが、おまえのところの電話番号を、部員たちは知っているのか？」

「知っているはずだ。緊急の用事があるかもしれないからな。だが用事のある時は大抵直接アパートを訪ねてくる。北岡のようにな」

「今までに須田武志が電話をかけてきたことはなかったか？」

高間は森川の表情に注目しながら訊いてみた。だが殆ど変化はない。

「なかったな。あいつの家には電話がなかったはずだし、あいつが俺に何か相談するなんてことは考えられないからな」

「なるほど」

高間は頷いたが、だからといって、昨夜武志が電話をかけた相手は森川でないということにはならなかった。

「野球部員から話を聞きたいんだけど、いいかな？」

「ああ、話はつけてある。ちょっと呼んでくるよ」

そういって森川は部屋を出ていった。扉が閉まって彼の足音が遠ざかってから、

「あの先生、なかなか辛い立場だそうですよ」

と今まで黙っていた小野が囁いた。「例の女の先生との仲が問題になってるらしいですね。我々が公表したわけではないのに、噂というのは怖いものです」

「どんなふうに問題になっているんだ？」

「だから教育上好ましくないとか、そういうことでしょう。どちらかが転勤させられるんじゃないかっていう話ですよ」

「ふうん……」

狭い町であるし、それは当然考えられることだった。噂になった原因は、やはり高間たちの行動だろう。

だがたとえ噂にならなくても、結婚すればどちらかが学校を出ていかねばならないはずだ。そして高間は捜査に必要なことをしたにすぎない。

しかしそれでも何となく、気持ちの中にふっきれないものが残った。

森川の協力があって、高間は三年生の野球部員一人一人から話を聞くことができた。しかし四人——佐藤、宮本、直井、沢本——の話を聞いたところでは、残念ながら特に手がかりになりそうなものは得られなかった。電話は全員の家にあるが、須田からかかってきたことなどは一度もないという。須田が電話をかけそうな相手にも心当たりはないという答えだった。

アリバイを訊くと、全員が家にいたと答えた。佐藤という部員は父親の友人と一緒だったといっているが、他の者は家族以外に証人はないらしい。

事件については心当たりはないと、皆がいっている。部員たちは殺人事件に興味を持ちながらも、関わることを極度に嫌っているようだった。

最後に会ったのは田島という部員だった。控え投手をしているらしい。高間は、今までの部員とはちょっと違った印象を彼から受けた。少なくとも田島は、何とか捜査の役に立とうとしているようだった。そして武志の死を、心から残念がっている。

だが協力的なのと、実際に役に立つのとは違う。彼にしても、武志のことについては、あまりにも知らなさすぎた。

「よくそんなバラバラで甲子園に出られたね」

高間は思わず漏らした。だが彼は嫌な顔をするわけでもなく、

「だからもう二度と出ることはないでしょうね」

と寂しそうに答えるだけだった。

電話の件についても、彼の回答は他の部員と同じようなものだった。また昨夜は彼も自宅で家族と一緒にいたという。高校生の夜のアリバイといえば、大抵こうなってしまう。

『魔球』という言葉に心当たりはないか、と高間は田島に訊いた。この質問に対して前の四人は、あまり考えようともせず、何も思い当たらないと答えていたのだった。沢本という気の弱そうな部員が、

らしい。

「須田の球自体、魔球だったな」

と独り言みたいに呟いたのが、唯一の意見だ。それほど武志の球がものすごかったという意味

田島恭平は、

「魔球といえば、ものすごい変化球のことですよね」

とことわってから、「須田のイメージとは合わないな」と首を傾げた。彼によると、速球一本で三振を取りまくるのが、須田のイメージなのだという。

「じつは北岡君のアルバムにも同じような言葉が出てくるんだよ」と高間はいった。「甲子園での写真を貼ってあったんだけど、その下に『魔球を見た』と書いてあるんだ。これはいったいどういうことなんだろうね？　単純に解釈すれば、北岡君は甲子園で、その『魔球』と称されるものを見たということになる。どうだろう、それでもやはり心当たりはないだろうか？」

他の部員は、あっさりと「ない」と答えたのだが、ここでも田島は真剣に考えこんでいるようすだった。そして、「甲子園で魔球を見た……」と口の中で繰り返したりしていた。

「どうだろうか？」

応接室のテーブルをコツコツと指で叩いて高間は尋ねた。甲子園のことを思いだしていたのだろう、田島は遠くを見る目になっていたが、この声で現実に引き戻されたような顔になった。

「どうかな？」と高間はもう一度訊いた。

「少し考えさせてもらえませんか？」と田島はいった。「あの試合のことをゆっくり思い返した

いんです」

「ふうん……」

高間は彼の顔を見た。脈があるのかどうか、判断はできなかった。ただ、ここではあまりせかさない方がいいような気がした。

「わかった。じゃあ、何か思いついたら連絡してもらうことにしよう」

高間がこういうと、田島は少し安堵したような顔で頷いた。

田島を送りだすと、高間たちも立ち会った森川と共に応接室を出た。

「こういっては失礼かもしれないが、何か歪みのようなものを感じるな」

歩きながら高間は、部員に対する感想を率直に述べた。「どこか狂っているように思えてしかたがない」

「狂っているわけではないんだ」

森川は辛そうに眉を寄せた。「彼等にしてみれば、須田との野球部生活は、夢みたいなものだったんだ。甲子園出場を含めてね。その夢が覚めて、ひどく陳腐な現実に直面している。その段差に戸惑っているんだ」

「おまえもか？」と高間は訊いてみた。

「そう。俺もだ」

森川は間髪をおかずに答えた。

彼と別れたあと、受付にも挨拶しに行った。受付の女性は電話の応対をしていた。その話しぶりからすると、須田武志のことで新聞社から問い合わせが来ているようだった。今日の昼には、マスコミが押しかけてくることだろう。

受付嬢の電話を待つ間、高間はあたりを見回していたが、窓口の横に職員たちの札がかかっているのが目についた。出勤者は黒い表を向けてあり、欠勤者は裏の赤い方になっているのだ。高間は何気なく視線を走らせ、『手塚麻衣子』と書いた札が裏返しになっているのを見つけた。

――休みかな？

だが欠席ではなかった。よく見ると、その札の上にはさらに小さな札がついていて、そこには小さく『早退』と書いてあるのだ。

――早退？　いったいどうしたのだろう？

高間が不審に思った時、受付の事務員の電話が終わった。彼は事情聴取が終わったことを告げ、開陽高校をあとにした。

4

須田武志が志摩子の実の子供ではないということを高間が知ったのは、この日捜査本部に戻ってからだった。本橋が改まった顔で呼ぶので近づいていくと、このことを聞かされたのだ。武志の血縁関係を調べていた捜査員が、志摩子から直接聞いたらしい。しかし、彼女は別にこのことを隠す気はなく、ただなんとなく今までいいそびれていたということだった。

以下が、その話の内容である。

武志の実の母親は須田明代といって、志摩子の夫正樹の妹だった。明代は郵便局に勤める平凡な娘だったらしい。その彼女が、どこの男と関係したのか子供を身籠もってしまったのは、二十歳の時だった。

その頃まだ生きていた明代の母や正樹は相手の男の名前を尋ねた。全く心当たりがなかったからだ。お互いに好き合っているのなら、一刻も早く入籍を済ませようというのが、正樹たちの考えだったのだ。

ところが明代は、なぜか相手の男の名前を頑としてしゃべらなかった。今はいえないのだという。それでも無理に聞きだそうとすると、泣きだしてしまう始末だった。

どうしたものかと正樹たちが思案していると、ある日、とうとう彼女は家出した。行き先はわからなかった。大した荷物も持っていなかったから、おそらく相手の男と一緒だろうと思われたが、手掛かりらしきものは何も残されていなかった。

「つまり、駆け落ちだ」と本橋はいった。「志摩子さんの話では、相手はかなり年配の男だという噂が流れたが、はっきりしたことは不明らしい。徹底して隠していたのだな。とにかくそのまま二人は消えた」

「消えて、どうなりました?」と高間は訊いた。

「しばらくは何の連絡もなかった。連絡があったのは五年後だ。正樹氏のところに葉書が送られてきた。妹さんを迎えに来てほしい、という文面だった」

妹さんをすぐに迎えに来て下さい——葉書にはこう書いてあっただけだということだ。正樹は急いで出かけていった。葉書の住所は、房総半島の先端にある小さな漁村を示していた。漁業だけではやっていけないので、竹細工で補っているというような村だった。

明代はその村にいたのだ。

正樹が行くと、薄汚れた布団で寝ている明代の痩せた姿があった。近所の女性が付き添っていたが、その女性の話によると、明代はこのところずっと身体の調子が悪く、水や粥《かゆ》以外は殆ど何もうけつけないのだという。正樹への葉書も、その女性が出したのだということだった。

明代は正樹を見ると、細い顔をほころばせて喜んだ。一緒に帰ろうという彼の呼びかけにも、涙を流して頷いた。だが相手の男はどこだという質問には、やはり答えなかった。

近所の女性がこっそり話してくれたところでは、男が週に一度だけ帰ってくるという生活が三年ほど続いていたようだが、二年ぐらい前から戻らなくなったのだという。仕送りがなされているようすもなく、明代は竹細工の籠などを作る内職で生計をたてていたということだった。たしかに部屋の中には、作りかけの籠や、竹細工の道具などが散らかっていた。

だが暗いことばかりではなかった。明代の子供は四歳になっていた。男の子で、痩せてはいたが活発な子供だった。正樹が行った時も、近くの川で石投げをして遊んでいた。

「それが武志だったわけですね？」と高間は訊いた。

「そういうことだ。明代と武志は正樹氏に連れ帰られた。正樹氏の家には志摩子さんと勇樹君がいたから、一気に大所帯になったわけだな。しかも働けるのは正樹氏だけだし、明代は病気だ。

少しの間だったが、かなり厳しい生活が続いたらしい」

「少しの間だった……というと？」

「間もなく明代が死んだんだ。自殺だった」

「………」

「武志をよろしく、という遺書を残してな。手首を切って死んだらしい」

「それで正樹氏が引き取ったわけですか」

「そういうことだ。ところがその二年後に正樹氏も事故で死ぬことになるんだからな、全く気の毒としかいいようがない」

高間は首をゆっくりと左右に動かした。感想を述べようと思ったが、適切な言葉が浮かんでこなかった。

「武志と勇樹はそのことを知っていたのですか？」

「知っていたらしい。だが本当の兄弟でも、あれほど強く結びつくことはないんじゃないかと、志摩子さんは涙ぐんでおられたそうだ」

高間は二人の顔を思いだしていた。初めて勇樹に会った時、「兄さんとよく似ている」といった覚えがあるが、あれは兄弟だからではなく、従兄弟《いとこ》だったからなのだ。そしてあの時勇樹は、とても嬉しそうにしていた。

「どうだろうな」と本橋は高間に尋ねた。「この出生の話と事件と、何か関わりがあるんだろうか？」

「さあ」と高間は首を傾げた。そしていった。「これは個人的な意見ですが、関わっていてほしくないですね。あまりにも救いがない」

「同感だ」

本橋も深く頷いた。

——だが
と高間は考える。たとえ事件に直接関わってこなくても、このエピソードを避けて通ることはできないかもしれない。なぜなら、こうした境遇こそが、あの天才須田武志を生みだしたに違いないのだから——。

5

翌日の午後、小野が魔球に関する資料を集めてきた。彼の知り合いに、去年まで東京でスポーツ記者をやっていた男がいるらしい。

「魔球といえば、今は何といっても小山のパームボールだそうです」

小野が鼻を膨らませていった。

「小山って、阪神の小山か。彼は速球投手じゃなかったのかい?」

一昨年、小山の剛速球のおかげで阪神が優勝したことを高間は覚えている。

「小山は今年からオリオンズに移っていますよ。もちろん球も速いですけど、去年あたりからパームも投げているんです。初めて投げたのは三十三年のカージナルス戦だそうです。球は速いしコントロールはいいし、おまけにパームもありで、今年は三十勝ぐらいしそうですよ」

「ふうん」

「それから阪神の外人投手バッキーのナックル。速くて、しかもどこにいくかわからない。彼の指は長くてね、五匹の蛇なんていわれてるんですよ。彼も今年は相当やりますよ。あとは村山のフォークかな。でもフォークといえば、まず杉下ですよね。もう十年ぐらい前になりますが」

「どうも」と高間は頭を掻いた。「今度の殺人事件とは関係なさそうだな。話を聞いている分には楽しいが」

「はあ……どうもすいません」

小野は頭を下げながら手帳の頁をめくった。「高校球界のことも訊いてみたのですが、最近では魔球などという話題が出たことはないようです」

「そうか……」

高間は頬杖をつき、机の上のメモ用紙に『魔球』と書いてみた。

じつは捜査会議で問題になっていることがあった。それはあの『マキュウ』という文字を書いたのは誰だったのかということだ。今までは須田武志が書き残したものと思いこんでいたが、そうとばかりはいいきれないという説が出てきたのだ。

まず、もし武志が書いたのだとしたら一体いつ書いたのかという疑問が出された。腹を刺されてから書いたのだとしたら、その間犯人はどうしていたのかという問題が残る。武志が地面に何か書きだしたら、それを止めさせるか消すかするのが、犯人の当然の行動だろうからだ。少なくともぼんやりと見ているはずはない。

犯人が立ち去ってから書いたとは考えられない。なぜなら犯人が去ったのは右腕を切断したあとであり、その時には武志は死亡していたはずだからだ。

そうなると、もし武志が書いたのだとしたら、それは犯人が現れる前だということになる。ではなぜそんなものを書いたか？　まさか自分が殺されることを予期して、先にダイイング・メッセージを書いたとは思えない。

以上のことから、あの『マキュウ』の文字は、犯人が書き残したものではないかという意見が有力になってきている。目的はわからない。須田武志に対する憎しみを象徴したものではないかという意見も出された。あるいはそんなところなのかもしれない。

――もし犯人が書き残したのだとすれば、この言葉を追っても真相には迫れないということだろうか？　犯人が、自分の命取りになるようなメッセージを残すはずがないからな
高間は紙の上に書いた『魔球』の文字を、鉛筆の後ろでコツコツと叩いた。この言葉を追うべきかどうか迷っていた。

高間のアパートに森川から電話がかかったのは、この日の夜だった。野球部員の田島が来ていて、高間に話したいことがあるといっているらしいのだ。

「どういう話なんだろう？」

すでに上着を摑みながら高間は訊いた。

「俺もまだ訊いていない。何でも魔球に関する話だそうだ」

「すぐに行く」

高間は乱暴に受話器を置いて部屋を飛びだした。

森川のアパートに行くと、田島恭平が改まった顔つきで待っていた。高間の顔を見ると、ぺこりと頭を下げた。

「鋸のことは何かわかったのか？」

座布団を勧めながら森川が訊いた。少し皮肉めいた響きがある。

「いや、何も出てこなかった。迷惑をかけたな」

高間は正直にいった。森川や部員の家から鋸を借りたが、疑わしい点はなかったのだ。

捜査本部では、犯人はすでにある鋸を使ったのではなく、犯行用に購入したのではないかという意見が支配的だ。そこで何人かの捜査員が付近の刃物屋を当たっている。

「それで、話というのは？」

高間が訊くと、田島は唇を舌で濡らした。

「あの……大した事じゃないかもしれないんです。もしかしたら全く見当外れかもしれません」

「構わないさ。見当外れじゃないことばかりなら、事件なんてすぐに解決する」

高間は意識して軽い調子でしゃべってから、「魔球のことらしいね？」と訊いた。

「ええ。昨日刑事さんに訊かれてから、ずっと僕なりに考えてみたんです。あの時刑事さんは、北岡のアルバムの中に『魔球を見た』という言葉が出てきたとおっしゃいましたよね。じつはそれでちょっと思いついたことがあったんですが、あまり自信がなかったので昨日はいえなかったんです」

「何でもいってみたまえ」と高間は表情を柔らかくした。

「じつは、あの日一度だけ須田が変わった球を投げたことを思いだしたんです」

「変わった球？」

「あの試合の最後の球です」と田島はいった。

「例の暴投か？」

森川が横から口を挟んだ。それで高間も思いだした。

「そうです」と田島は顎を引いた。「じつはあのあと僕は須田に尋ねてみたんです。最後の球はいったい何だったのかと。コントロールのいい彼が、あの局面であんなことになるなんて信じられなかったものですから。須田は、手元が狂っただけだよと答えました。でもそうは思えませんでした。よくわからなかったけれどホームプレートの手前で急に落ちたみたいでした。須田がそんな球を投げたことは一度もありません」

「つまりその時のボールは須田君が新たに覚えたボールで、それが魔球のことではないかと君はいうんだね？」

「はい」と田島は答えた。

高間は意見を求めるように森川の顔を見た。森川は少し考えたあと、

「ありうることだ」といった。「あの試合のあと、俺も北岡に訊いてみたんだ。どういうサインを出したのかとな。だが北岡ははっきりとは答えなかった。失敗を責めるのも気がひけたのでそれ以上訊かなかったが、あの二人はあの時の球については妙に歯切れが悪かった」

「須田は新しい球を練習していて、それをあの場で試したんじゃないですか。あいつはそれぐらいのことはする男でしたから」

田島がいった。

「で、その練習相手が北岡だったわけか」と森川。

だが高間は、

「いや、それはないんじゃないかな」

と否定した。「北岡君のアルバムでは、選抜大会の写真の下に、『魔球を見た』と書いてあったんだ。この言葉の感じからすると、北岡君がその球を見たのもこの時が初めてだったのじゃないだろうか」

「そうか……。すると、それまでは須田ひとりでその球の練習をしていたということなのかな」

「いや、そんなことはないと思います」

ところが田島が自信のある口ぶりでいった。「須田は神社で北岡と秘密練習をしていたらしいんです。その変化球の練習もしていたに違いありません」

「いや、たしかに神社でトレーニングしていたらしいが、それは選抜大会以後らしい」

高間は説明した。「それまでは須田君ひとりでやっていたらしいよ。北岡君のお母さんや、須田君自身がそういっていた」

須田武志はその変化球を選抜大会で初めて試し、それを見た北岡は、『魔球を見た』とアルバムに記した。そしてその後、二人で魔球の練習をすることにした——どうやらこういうことらしいと、高間は頭の中で組立てたのだ。

だが田島は腑に落ちないようすで首を傾げたあと、

「やっぱりそんなはずはないですよ」

と断言した。「佐藤がいってたんです。雪の降る日に石崎神社で練習していたのを見たって。選抜大会以後、このあたりじゃ雪なんて降ってないでしょ？　それに、ボールを受ける音がしてたっていうんですから、北岡が一緒だったことはたしかなんです」

「ほう……」

森川が迷ったように高間を見た。「どういうことかな？」

高間は田島に、

「佐藤君は、須田君の相手は北岡君だったといっているのかい？」

と訊いた。田島はやや返答に詰まってから首をふった。

「そうはいってなかったですけど……北岡以外考えられないでしょう？」

高間は森川を見た。彼も肩をすくめて、「ほかには心当たりないな」と答えた。

「佐藤君の家はここから遠いのかい？」

「いや、それほどでもない」

「地図を書いてくれ」

高間は手帳の頁をちぎり、森川の前に置いた。鼓動が速くなっている。

——もしもそれが北岡でなかったら、武志のボールは一体誰が受けていたんだ?

6

武志の死体が見つかった二日後、須田家の近くにある集会所で葬儀が行われた。金銭的な事情から簡単なものになったが参列者は多かった。

勇樹は集会所の入り口に立ち、焼香をしてくれる人々に頭を下げた。武志の同級生も無論のこと、勇樹の友人も大勢出席してくれた。彼はその一人一人に、「ありがとう」と心をこめていった。

森川をはじめ、何人かの教師も来ていた。その中には手塚麻衣子の姿もあった。麻衣子は黒いワンピースを着て、幾分緊張しているように見えた。彼女と森川との仲は、現在開陽高校内でちょっとした話題になっている。父兄の何人かが校長に文句をいいにいったという噂もある。彼女は昨日は欠勤だったし、一昨日は早退したようだったが、職員室でいびられるからだという噂が専《もっぱ》らだ。

勇樹は彼女が自分の前を通り、焼香をし、白い掌を合わせるのを目で追った。彼女は人よりも長い時間掌を合わせていたようだった。彼女が前を通って出ていく時、「ありがとうございました」ともう一度声をかけた。彼女は小さく会釈した。

葬儀のあと、高間刑事がどこからか現れて、少し訊きたいことがあるのだがといった。少しの間ならいいと勇樹が答えると、人目につかない狭い路地まで連れていかれた。

「その箱は何だい？」

まず高間が訊いたのは、勇樹が手に持っていた木箱のことだった。

「これは兄貴の宝物なんです」と勇樹は答えた。

「見せてもらえるかい？」

「いいですよ」

勇樹は蓋を開けた。中には御守りと、竹で作った人形がひとつ、それからペンチのようなものが入っていた。

「兄貴の本当のお母さんの形見なんです」と勇樹は説明した。「兄貴の葬式に、天国のお母さんにも出席してもらおうと思って持ってきたんです」

「そうだったのか……」

高間は鼻の頭を掻くようなしぐさをした。

「ところで訊きたいことって？」

木箱の蓋《ふた》をして、勇樹は逆に尋ねた。

「うん――兄さんは夜になると神社にトレーニングに出ていたという話だったけど、相手はいなかったのかな？」と高間は訊いてきた。

「相手って、北岡さんじゃないんですか？」

前にこの刑事と武志が話しているのを聞いていたが、たしかそういう話だったはずだ。

「いや、だから北岡君以外にだよ。選抜大会よりも前の話なんだが」

勇樹は首をふった。

「前にもいいましたけど、兄貴は野球の練習については何も話してくれなかったんです」

「そう……。やっぱりそうか」

刑事は落胆したようすだった。

「それよりも、どうしてそんなことを訊くんですか？　兄貴は北岡さん以外の誰かと練習していたんですか？」

逆に質問してみると、高間は明らかに気まずそうな顔をしたあと、「いや、ちょっとね」と曖昧にごまかした。そして、「もう一つ変なことを訊いてもいいかな？」といった。

「いいですよ」と勇樹はいった。

「最近になって、兄さんが変化球のことについて話したことはないだろうか？」

「え？」と勇樹は訊き返した。

「変化球だよ。ピッチャーが投げる、曲がる球だ」

「……本当に変なことを訊くんですね」

「だから最初に断ったんだ。で、どうだろう？」

勇樹はさっきと同じ台詞を繰り返さねばならなかった。「兄貴と野球のことを話すなんて、殆どなかったんです」

刑事は失望したようすだったが仕方がなかった。武志がどのような野球人生を送ってきたのか、勇樹は何も知らなかったのだ。今になって悔しく思うがどうしようもない。

「魔球のことですか？」

彼が訊くと高間は頷いた。

「兄さんは何か新しい変化球を練習していて、そのことを『魔球』と呼んでいたんじゃないかというのが、今のところの推理なんだ。それがどのように関わってくるか、まだ不明だけれどね」

「へえ……」

勇樹はちょっと思いつくことがあって、それを口にすることにした。「兄貴が変化球の練習をしていたなんて、信じられないな」

すると刑事は不思議そうに、「どうして？」と訊いた。

「だって兄貴は速球でプロ入りするつもりだったんですよ。高校からプロを目指す場合、別に変化球だとか投げられなくてもいいんだって兄貴はいってました。せいぜいカーブ程度で、下手にほかの球を覚えようとしてフォームを崩したら馬鹿みたいだって。それに、高校時代は真っすぐだけ投げてればいいって、スカウトの人からもいわれてたみたいですし」

「スカウト？」

高間は目を丸くした。その表情から察すると初耳らしい。「スカウトって、プロ球団のスカウトかい？」

「そうです」と勇樹はいった。

武志が二年生になった頃ぐらいからだった。某在京球団のスカウトが、しばしば須田家を訪れるようになったのだ。その男が武志に目をつけたのはもっと前のようだった。そのスカウトは、特に勧誘めいたことはいわず、プロ野球の仕組みなどについて話して帰るだけだった。その折に、少しアドバイスのようなこともいうのだ。

「でもこのことは秘密にしておいて下さいね。よくわからないけれど、プロの人と会ったということが知れたら、いろいろと問題があるそうですから」

「それはわかっているよ。たぶんアマチュア規定に反するんだろうね。――で、兄さんはその球団に入るつもりだったのかな？」

「わかりません。プロならどこだっていいんだって、いつもいってましたから」

勇樹の記憶によれば、武志がどこか特定の球団を応援したことなど一度もなかった。野球に青春のすべてを賭けた武志に、好きなチームがないというのも変な話だった。どうやら武志にとっては、プロ球界全体が就職先であり、チームの違いなどは会社における部署の違いぐらいにしか考えていなかったのかもしれない。

「その人はどのくらいの間隔でやって来たんだい？」と高間が訊いた。

「三ヵ月か四ヵ月に一度ぐらいかな。今年は二月に来ました」

「ふうん……その人の名前は覚えているかい？」

「覚えていますよ。山下さんという人です。すごく大きな身体の人ですよ」

「たぶん元は選手だったんだろうね」

そういって高間はその名前を手帳に書きこんだ。

高間の質問はそこまでだった。別れる前に、

「それにしても君の兄さんは、野球選手になるために生まれてきたような人だったね」

と改めて思い知ったようにいった。

「そのとおりです」と勇樹は答えた。「兄貴は野球をするために生まれてきたんです」

高間刑事は二、三度頷くと、ゆっくりした歩調で歩きだした。そのあとに続きながら、勇樹は胸の内で叫んでいた。

――そうだ、兄貴は野球をするために生まれてきたんだ。林の中でのたれ死にするために生まれてきたんじゃない
真相を知りたい、どうしても――勇樹は強く望んだ。

7

この夜、勇樹は志摩子と二人で久しぶりにゆっくりと食事をした。武志の死以来、落ち着く暇がなかったのだ。

途中、志摩子が箸を止め、ぼんやりと隣の部屋を見ていた。

「どうしたんだい？」と訊いて、勇樹もその方を見た。

志摩子はすぐには答えず、しばらくそのままの格好でいたあと、

「あのユニホーム、もう洗うこともないんだなあと思って……」

と、少しほつれた髪をかきあげた。

隣の部屋には、洗いたての武志のユニホームが吊るしてあったのだ。開陽高校背番号1番。膝のところが少し薄くなっている。

俺が自分で洗うよ——武志はいつもこういっていた。何いってるの、そんな時間があったら練習するんでしょ——これが志摩子の決まり文句だ。

「母さん」と勇樹は呼びかけた。「兄貴はいつも感謝してたよ。母さんに」

すると志摩子は少し戸惑ったみたいに視線を動かしたあと、唇にかすかな笑みを浮かべてうつむいた。そして、「馬鹿な子ねえ」と呟いた。馬鹿な子というのが、勇樹のことなのか、武志のことなのかはわからなかった。

「家族が仲よく、楽しく暮らしていけたらいいと思ってただけなのよ……」

彼女は勇樹に訊いた。「今まで楽しくなかった？」

「楽しかったよ」と勇樹は答えた。

「そうでしょう。母さんも楽しかった……」

そういって志摩子はまた目を伏せると、そばの手ぬぐいで目頭を押さえた。

夕食を終えた頃、玄関の戸を軽く叩く音がした。食器の後片付けをして卓袱台の上を布巾《ふきん》で拭いていた勇樹は、台所に立っている志摩子と顔を見合わせた。こんな時間に訪ねてくる者などいないはずだった。

勇樹がすぐに思い当たったのは山瀬のことだった。無神経なあの男のことだから、こんな時に借金の取り立てに来たとしても不思議ではない。山瀬はどういうわけか武志を苦手にしていたが、今はもう彼にとっての邪魔者はいないのだ。

「はい、どちらさまですか？」

志摩子が不安そうに尋ねた。彼女も山瀬かもしれないと思っているのだろう。

「夜分申し訳ありません」——男の声だが、山瀬ではなかった。「竹中という者ですが、どうしてもお渡ししたいものがありまして、お邪魔しました」

志摩子はまた勇樹を見た。知っているかという問いかけだ。彼は首をふった。竹中なんて、聞いたこともなかった。

彼女が玄関を開けると、そこには喪服を着た男が立っていた。年齢は五十過ぎというところだろうか、体格がよく、背筋もぴんと伸びていた。顔だちは彫りが深く、頑固そうな印象を受ける。

「突然申し訳ありません」

そういって男は白髪まじりの頭を下げた。きっちりとしたお辞儀で、この時にも背中は真っすぐ伸びていた。

「私は以前、須田正樹さんと一緒に仕事をしていたのですが、須田さんには大変お世話になりました。じつはもっと早くお訪ねしたかったのですが、引っ越されたということで、連絡もとれなかったのです」

「じゃあ電気工事会社の方で？」

「そういうことです」と竹中は答えた。

「ああ、そうなんですか……」と納得してから志摩子は、「あの、どうぞ。狭いところですけれど」といって彼を招き入れた。

竹中は靴を脱いで部屋に上がると、隅に置いてある武志の遺骨に正対するように正座した。

「じつは新聞でこのたびのことを知りまして、それで同時にこちらの御住所もわかったということなんです」

竹中は説明したあと、「本当に思いがけないことで、胸中お察しいたします」とここでも頭を下げた。志摩子と勇樹も正座して応えた。

このあと竹中は志摩子の許可を得て、線香を上げた。武志の遺骨に向かって彼は、かなり長い時間手を合わせていた。そして彼の口が何かをつぶやいているのを勇樹は見た。その声までは聞こえてこなかったが。

それを終えたあと彼は志摩子の方に向き直り、懐から白い封筒を取り出してきた。

「私は昔、須田さんから金銭的な助けを何度も受けました。いつかは御恩返しをしなければと思っていたのです。どうかお納めください」

「いえ、でも見ず知らずの方にこんなことをしていただいては……」

志摩子は辞退しようとしたが、竹中は首を振りながら封筒を彼女の方に寄せた。

「お借りしていたものを、お返しするだけなのです。武志君への御香典と考えていただいても結構ですが」

「はあ、でも……」

「どうかお気になさらないで下さい」

そして竹中は家の中をさっと見回すと、膝を立て始めた。「では私はそろそろ」

「あの、今お茶を入れますので」

志摩子があわてたが、彼は制するように掌を出した。

「いえ、これから寄らなければならないところもありますので。今夜はこのへんで失礼します」

「あの、では御連絡先を教えていただけますか？」

志摩子がいうと竹中は少し考えていたようだが、「それでは」といって手帳を取り出し、そこに連絡先を書いて寄越した。なかなかの達筆だった。

「ではこれで失礼いたします」

竹中は玄関先でもう一度頭を下げると、靴音を残して去っていった。

靴音が消えてから、母子はまた顔を見合わせた。何か狐につままれたような気分だった。いったいあの男は何者だったのだ？

勇樹は封筒を引きよせ、中身をあらためた。質《たち》の悪い悪戯ではないかとも思ったのだ。

だが中の金額を見て、彼は驚いた。

「母さん、すごいよ。三十万円も入ってるよ」

「えっ、まさか」

志摩子も横に来た。一万円札が三十枚、間違いなかった。

「勇樹、今の人を追いかけなさい。もう一度ちゃんと話を聞かないと」

「わかった」

勇樹は家を飛びだして、男が帰ったと思われる方向に走った。いくら世話になったとはいえ、三十万円は大金すぎる。

だが男に追いつくことはできなかった。もしかしたら車で来ていたのかもしれない。勇樹は諦めて家に帰った。

「どうしようかしらねえ」

金を前に志摩子は戸惑った顔だ。「やっぱり明日、この人に連絡してみるわ。こんなお金、いただけないもの」

「もらっとけばいいと思うけどな」と勇樹はいった。「これだけあれば、あの山瀬から借りた金だって返せるじゃないか。そうしたらもう嫌な思いをしないですむ」

山瀬からは十万円の金を借りているのだった。勇樹が嫌なのは、その借金を盾に山瀬が志摩子に色目を使っていることだった。志摩子の仕事がない日など、勇樹が学校から帰ると、堂々と家に上がりこんでいるということが何度かあった。

「それはそうだけど」

志摩子は困惑の色を浮かべていた。

「とにかく山瀬のやつの金は返そうよ。それからのことは、そのあと考えればいい。俺が返しに行ってくるよ。早くしないと、あいつ、またやってくるに決まってるんだ。兄貴がいないと思ってさ。だけど、これからは俺が母さんのことを守ってやるからな」

勇樹は志摩子の肩に手を載せた。

「ありがとうね。でも大丈夫よ」

いったあと、志摩子は封筒を見てまた首を傾けた。「それにしてもあの人、いったいどうして……」

8

勇樹からプロ・スカウトの話を聞いた次の日、高間は早くもその球団事務所の応接室にいた。多忙な相手だけにすぐに会えるとは思えず、予約を取るために連絡したのだが、須田武志の件というとすぐに来てくれていいという返事だった。

高間はハイライトを取り出すと、一服しながら室内を見回した。壁には選手のカレンダーや、日程表のようなものが貼ってあった。

石崎神社での武志の練習相手が、北岡のほかにもう一人いたというのは、ほぼ確実だった。部員の佐藤が武志の練習を見たのは選抜以前というし、その相手が北岡だったかどうかはわからないというのだ。また雪が降っていたということから、その日を限定することができたが、北岡明の母によると、その夜には彼は家にいたはずだというのだ。

では須田武志はいったい誰を相手に練習していたのか？

もしその練習が『魔球』に関するものであったなら、その練習相手の存在が極めて重要だということになる。

ただ、こんな時期に武志が変化球の練習などするはずがない、という勇樹の意見も興味深かった。しかもそれはプロ・スカウトのアドバイスでもあったという。そこで一度話を聞こうと思って、ここまでやって来たのだった。

高間が一本目の煙草を吸い終えた頃、ドアが開いて大きな身体が現れた。

男はグレーの背広に包んだ身を折り曲げて、「どうも遅くなりました」と詫びた。肺活量の大きさを感じさせるような声だった。高間も立ち上がると改めて礼をいい、名刺を交換した。名刺から、男が山下和義という名前だとわかった。

山下は九十キロはありそうな体軀をソファに沈めると、

「須田君のことだそうですね？」

と真剣なまなざしを向けてきた。その目から、この男の須田武志に対する思いが窺えるようだった。

「あなたのことを須田勇樹君から聞いたんですよ」と高間はいった。「武志君の弟さんですが」

「知っています。賢そうな少年でしたね」

巨体で動き回ると暑いのか、山下はハンカチを出してこめかみのあたりを拭いた。鼻の頭にも汗が滲んでいて、いかにも精力的な印象を受ける。

「事件のことは？」と高間は訊いてみた。

「無論存じています。あるいは警察の方が見えるかもしれないと、考えてはいたのです」

それから山下は腕を組み、揺するように首をふった。「ショックでしたね。信じられませんでした。目の前が真っ暗になりましたよ」

「須田君とはどの程度の付き合いだったのですか？」

すると山下はすっと上方に目線を外し、瞑想にふけるようにゆっくりと瞼を閉じた。

「須田武志君は、日本の野球史上でも指折りの天才でした。私はいろいろな名投手を見てきたし、今も良い投手を探そうと日本国中を走りまわっています。しかしあれほど完璧な素質を持った選手は、そうそういませんね。二十年に一人、といってもいいんじゃないでしょうか。球の速さやコントロールの良さも申し分ないのですが、あの野球センス、それから冷静な性格と強靭な精神力、まさに金の卵でした」

ここで山下は目を開き、高間の方を見た。「じつをいいますと、彼には高校一年の時から注目していたんですよ。私は是非彼が欲しいと思っていました。うちのチームには、彼のような投手が必要なのです。そこで昨年の夏あたりから、密かに接触を始めました。表立ったことをすれば当然問題になりますから、かなり気を使いましたが」

「接触というと、具体的にはどのような？」

「特別なことをするわけではありません。会って話をするだけです。それ以上のことは許されていませんからね。しかし私としては、少しでも彼の頭にうちのチームの名前を刻みこめればいいと思ったんです。今は大抵の子は巨人に入ることを望んでいますから、じっとしているわけにはいかないんですよ。いい選手は皆巨人に入ってしまいます」

「ははあ、巨人ですか」

『巨人・大鵬・卵焼き』という言葉を高間は思いだした。しかし勇樹の話では、武志は特に好きな球団というのはないということだった。そのことをいうと山下は頷いた。

「そのとおりです。須田君は元々かなり強いプロ指向を持っていて、自分を高く評価する球団ならどこでもいいという感じでしたね。私としては、巨人でなければ嫌だといわれるのも困るのですが、彼のようにどこでもいいというのも痛し痒《かゆ》しです。他球団と争いになるのは目に見えていますからね。そういう意味から、たまに顔を出して点数を稼いでおこうと思ったわけです」

毎年秋になると、アマチュア球界で活躍した選手の行き先が注目される。どの選手がどの球団名をあげるかで、プロ野球ファンも一緒になって一喜一憂するのだ。

「それで彼の気持ちはどうだったんですか？　こちらの球団に気持ちが傾いていたようすでしたか？」

と訊いてみた。すると山下は考えこむように顎の下に手を置いて、「さあ」と首を傾けた。

「何ともいえませんね」

「あまりいい感触は得られなかったということですか？」

「というより、結局彼はこちらが想像しているよりも、ずっと厳しく割り切った考えを持っていたということです。単なる憧れじゃなく、自分の将来の仕事という見方をしていたわけです」

そして彼は一つのエピソードを話した。最後に武志に会った時、彼から取引を持ちかけられたという話だった。

「取引というと、金ですか？」

有望新人の獲得合戦で、入団契約金が天井知らずに上がっているという記事を、高間も新聞で読んだ覚えがあった。今年の目玉としては、死んだ須田武志のほかに、慶大の渡辺や下関商の池永らがいるが、裏金を含むといずれも三千万円は下らないだろうといわれている。高間には想像もつかない金額だ。

「金もです。今年の新入団選手の最高金額と同等の額を要求してきました。まあ、これについては、案外こんなことにもしっかりしているんだなと思った程度で、特に驚きもしませんでした。うちとしては、いわれるまでもなくそのぐらいは出すつもりでしたからね。ただ彼はそういった金銭的な条件も含めた仮契約を、今のうちにすませておかないかといってきたんです」

「仮契約？」

「それも法的な効力のあるものということでね。これにはうろたえました。こんな時期に接触していること自体協定違反なのだから、そういう書面を交わすことなどできるはずがないんです。それで彼には、心配しなくても必ず君を獲得するつもりだし、契約金も希望通りにするといったんですが」

「彼は何と？」

「そういう約束はあてにならない、といいました。もしその頃になって、ほかにもっといい選手が現われたら、自分のことをそれほど欲しいと思わなくなるかもしれない。そうすれば自然と契約金も下がるだろうと」

そして山下はため息をついた。「子供だと思って甘くみていたわけではないのですが、やはりショックでしたね。信用してもらうために何度も顔を出していたんですが、結局のところ彼の心を摑んではいなかったということです。摑むどころか、触りもしていなかった……」

やはり大変な少年だったのだなと高間は改めて感心した。ものすごい球を投げるということもそうだが、精神的逞しさも相当なものだったのだ。最近は軟弱そうな連中が街に溢れているが、とても同年代とは思えない。彼の不幸な生い立ちが、そういう強靭さを培《つちか》ったのかもしれないが。

「ところで、変なことをお訊きしますが――」

高間は、武志が何か新しい変化球を練習していたという話を聞いたことはないかと尋ねてみた。

「いや、聞いてないですね」

山下は即座に否定した。「私は彼にいったんですよ。とにかく今のうちは、自然なフォームで伸び伸びと投げるようにしろと。投げるのは真っすぐとカーブだけでいいともいいました。小手先の技にこだわるようなことは、絶対にしちゃいけないと注意していたんですが」

するると武志は山下に無断で、魔球を修得したということになる。なぜそんなことをしたのか？あるいは特別な理由などはなく、単に投球の幅を広げようとしただけなのか？

このあと高間は、事件について何か思い当たることはないかと訊いてみた。山下の返答は予想通り、「そんなものはない」ということだったが、高間が腰を上げる時にこんなことをいった。

「須田君のことで一番強く印象に残っているのは孤独の影でしたね。今度の事件のことを知った時、最初に思い浮かべたのはそのことでした。結局彼はこういう運命を背負ってたんじゃないか――まあ、つまらない感傷にすぎないのですが」

「参考にします」と高間はいった。

球団事務所を出たあとで本部に電話すると本橋が出た。どうだったかと訊かれたので、役に立つかどうかはわからないが、興味深い話は聞けたと高間は答えた。本心だった。

「そうか。まあそういうものだろうな。それはともかく耳よりな情報が二つ入った。ひとつは鋸の件だ。桜井町の刃物屋で、二十三日の夜に折り畳み式の鋸を買っていった男がいる」

「へえ」

二十三日といえば、武志が殺害される前の夜だ。

「残念ながら、店の主人は客の人相などは覚えていないそうだがな。それからもう一つの情報だが、武志が神社で練習していた時の相手を見たという人間が見つかった」

「えっ、本当ですか？」と高間は思わず声に力を込めた。

「本当だ。見たのは二月頃というから、その相手は間違いなく北岡じゃない」

「誰だったんですか？」

「誰かはまだわからない」と本橋はいった。「ただ目撃者の話だと、年格好からしても北岡じゃない。それに一つ、有力な手掛かりがある」

「何ですか？」

「武志の相手は杖をついていたというんだ。そうして片足をひきずっていた」

「片足……」

「今、県内の野球関係者を当たっている。おまえも早く帰ってこい」

「わかりました」

高間は勢いよく受話器を置いた。

追跡

1

授業終了のチャイムと共に、教室の中の空気が解放感に溢れた。田島の横で居眠りをしていた生徒も、目を輝かせて後片付けを始めた。

田島は教室を出ると、部室でユニホームに着替えたあと図書館に行くことにした。受験用の参考書をいっぱい借りていて、その期限が過ぎているのだ。

――しばらくは受験勉強の時間が少なくなるかもしれないな

校舎とは別棟の図書館に向かいながら田島は考えていた。須田武志がいなくなったことで、自動的に――本当に自動的という表現がふさわしい――田島がエース・ナンバーをつけることになったからだ。今までは公式戦でまともに投げられたことなどなかったが、これからは田島が全試合先発することになるのだ。武志の不幸によって得たわけで、格別の喜びがあるわけではなかったが、それでも悪い気はしなかった。

図書館の事務員は、三角形の眼鏡をかけた『ヒス』という渾名の女性で、田島の返却した本が期限を過ぎているのを見つけると、例によって目尻をつりあげた。

「期限を守ってくれないとね、こちらが困るのよ。とても困るの。余計な仕事が増えるのよ。それにね、あなたが借りっぱなしにしていた本を待っている人だっているの。そういう人のこと考えたことある？」

「すみません」と田島は頭を下げた。

「あやまる前にね、きちんとしてちょうだい。本当にもう……あなた野球部でしょ？　運動部員ってみんなそうなのよ。本の扱いは荒いし、汚れた手で触るし、足音たてて歩くし、本当に迷惑だわ」

ひどいいわれ方だと思ったが田島は黙っていた。下手なことをいって説教を長びかせてもつまらない。

やがて突然事務員が口を止めた。ようやく小言の種が尽きたのかと思っていると、彼女は今までよりは少し穏やかな顔になって田島を見た。

「あなた、野球部員だったら北岡君は知っているわね？」

「はあ」

急に北岡の名前が出たので戸惑っていると、事務員は机の下から黄色いカードを二枚出してきた。

「ここに書いてある本は、北岡君が借りていってそのままになっているものなのよ。あなた、悪いけれど北岡君の御家族に連絡してくれないかしら?」

「連絡って……要するに北岡の家に行って本を返してもらって、僕がここへ持ってくるということですか?」

「そう。お願いできるわね?」

いつも迷惑をかけているのだから、これぐらいやってもらわないと、という言い方だ。

「それはまあ……」

田島はそのカードをつまみ上げた。そこには貸出者の氏名が書いてあるのだが、あまり人気のない本らしく、殆ど誰も借りていない。本の題名は——と目を向けてみて、瞬間少し意外な気がした。やや特殊な専門書だったからだ。だがすぐに、それほど意外でもないことに気がついた。北岡ならこういう本も読んだかもしれないと思えた。

「なるべく早く頼むわね」

「はあい」

本の題名を覚えてから、田島は図書館を出た。

グラウンドに行くと殆どの部員が揃っていた。一年生部員は白線引きや地ならしをしている。ふと見るとスコアボードが出されていて、チーム名のところに紅・白と書いてあった。

やれやれ、と田島は口元を歪めてため息をついた。どうやらまた紅白戦らしい。須田が殺されてしばらく練習が休みになり、また再開されるようになってから、やたら紅白試合が多くなっていた。しかも一年生を鍛えるとか、フォーメーションの練習をするとかいった意味はなく、ただ漠然と試合をするだけなのだ。

「紅白戦もいいけどさ、もう少し系統立てた練習をした方がいいんじゃないかな」

田島は新主将の宮本の顔を見るなりいった。するとそばにいた佐藤が代わりに口を出してきた。

「昨日は一日打撃練習をしたぜ」

田島はうんざりした気分になった。

「打撃練習といったって、各自が好きなようにバットを振り回してるだけじゃないか。もっと基礎トレーニングをやった方がいい。一年生はまだ硬球に慣れてもいないんだ」

「一年のことは考えてるよ」

後ろから声がしたので振り返ってみると、直井が近づいてきていた。「今日だって試合を終えてから千本ノックをするつもりだったんだ。楽しくやるってのがスローガンだけど、やるべきことはきちっとやるつもりだ」

「千本ノックなんて意味ないよ」

田島はいい返した。「あんなの単なるシゴキじゃないか。基本もできてない一年生に、雨あられと打球を浴びせたりしてさ」

「反復練習は大事なんだぜ」

「倒れて動けなくなってるやつにノックすることが反復練習なのかい？　馬鹿げてるよ。どう見ても、ノックする方がストレス発散のためにやってるとしか思えないな。それとも、一年生をいじめることも、楽しい野球の一環なのかい？」

いい終わるや否や、田島は直井に襟首を摑まれていた。直井は顔を歪めて睨みつけてくる。だが田島は目をそらせなかった。

「やめろよ、くだらないことで喧嘩するなよ」

佐藤が直井の手を外した。宮本も間に入ってくる。

「先にいいがかりをつけたのは田島だぜ」

直井が吐き捨てるようにいった。

「わかってるよ。まあちょっと落ち着けよ」

そういって佐藤は田島の方に来た。そして肩に手を載せる。「なあ田島、今やおまえはエースなんだから、つまらないことを気にせずに自分の調子を上げることだけを考えてくれよ。紅白戦だっておまえがいうほど悪くないぜ。実戦に即した練習ができるしさ、投球術を磨くのにだって都合いいはずだ」

「紅白戦が悪いといってるんじゃない」

「系統立てた練習もしたい、だろ。わかったよ。その点は考えとくからさ、とりあえず今日のところは黙っててくれよ」

佐藤は追いやるみたいに田島の背中を押した。田島は何だか無性に腹が立っていて、あっさりと引下がりたくはなかった。こんなに腹が立ったのは、北岡や須田の築き上げたものを、彼等が踏みつけているように思えたからかもしれない。だがこれ以上ここで議論しても何も進展しないことは明白だった。田島は諦めて歩き始めた。その時後ろで直井がいった。

「田島、わかっているんだろうな。エースなんか誰だっていいんだぜ。おまえでなくてもな。うちはもう、前のチームじゃないんだ」

田島は立ち止まり、振り返った。佐藤や宮本が止めるのも構わず直井は喚《わめ》いた。

「他校はもううちのことなんか洟《はな》も引っ掛けてないんだ。須田のいない開陽なんかな。他校のやつらが、今度の事件のことで何といってるか知ってるのか？　須田の右腕を切られて盗まれたら、開陽には何も残らないんじゃないか——そういってるんだ。右腕のない須田なら、幽霊になって出てきても怖くないってな。悔しいけど、そのとおりさ。うちには何も残ってない。全部終わったんだ」

喚いたあと、直井は佐藤たちの手をふりほどいて、部室の方に走っていった。佐藤や宮本は後を追わず、気まずそうにうつむいている。

田島は黙ったまま、また歩きだした。一、二年生の部員が心配そうな顔で見ていた。

——何も残ってない……か
そんなことはわかっている、と田島は思った。わかっているからこのまま終わりたくないのだ。このまま終われば、自分たちの青春まで、須田の右腕と一緒にどこかに消えてなくなってしまう——。

田島の頭の中で何かが閃いたのは、この直後だった。突然脳裏の思いもよらないところからある言葉がでてきて、それがいろいろな記憶と結びつきはじめたのだ。

——右腕のない須田か……
はっとして彼は足を止めた。
——図書館……そうだ、北岡が借りた図書館の本だ
田島は無我夢中で駆けだしていた。
2

須田武志の投球練習の相手をする片足の男——それらしき人物を見つけだしたのは、武志の少年野球時代を探っていた小野だった。小野の話によると、武志は小学生の時にブルーソックスというチームに所属していたらしいのだが、去年から今年にかけてそこでコーチをしていた芦原という男が、右足が不自由だったということだ。

「去年から今年か。じゃあ武志とは直接関係はないのかな？」

高間と一緒に報告を聞いていた本橋がいった。

「でもそこの監督の話では、須田武志は最近になってから時々そのチームに顔を出したりしていたんだそうです。だから芦原とも面識があったはずだということです」

「最近になってから顔を出していた、というのが引っ掛かりますね」

高間がいうと本橋は頷いて、

「芦原というのは、いったい何者なんだ？」

と訊いた。小野は指に唾をつけて手帳の頁をめくった。

「もとは社会人野球のピッチャーです。それが事故に遭って片足を悪くしてからは会社もやめ、少年野球のコーチを始めた頃はぶらぶらしていたそうです」

「社会人野球か。どこの会社だ？」

「東西電機です」と小野は答えた。

「東西か。この地域じゃ、トップ企業だな」

「今はどこにいるんだい？」と高間が訊いた。が、小野は首をふった。

「今は行方不明です。それまでの住所はわかっていますが」

「臭うな、その男」

　本橋が椅子にもたれかかって、足を組みかえた。「いつ頃から行方不明なんだ？」

「三月の終わりか、今月の初め頃じゃないかという話です」

「芦原はなぜ少年野球のコーチを辞めたんだろう？」と高間が訊いた。

「それが妙な話でしてね。父兄からの要望だそうですよ。まともに働かずにぶらぶらしているような男に、子供を任せるわけにはいかないということでね。それに監督とコーチというふうに、二人も指導者がいると子供も戸惑うんじゃないかと……。まあ正直なところは、コーチしていることを理由に、礼金をせびられたりしたらかなわないと思ったんじゃないですか」

「ふうん、そういうものなのかな」

　本橋はあまり納得できないという顔つきだった。「とにかく芦原の住んでたところを当たってみてくれよ」

「わかりました」と高間は答えた。

「ああ、それから妙な話が入っている。須田家に出入りしている男で、山瀬というのを知っているか?」

「山瀬? ああ――」

すぐに高間は思いだした。「志摩子さんが金を借りているという、鉄工所の親父でしょう?」

「そうだ。近所の人間の噂では、借金をタネに志摩子に関係を迫っていたらしい」

「そういう感じの男でしたよ」

醜悪な人相を高間は思いだした。「自分も須田家で会ったんですよ。その時は武志に追っ払われていましたが」

「そこだ。聞くところによると、何度もそういうことがあったらしいな。だから山瀬は武志のことを相当憎々しく感じていたはずだ」

「なるほど」

本橋のいわんとするところがわかってきた。

「そこで探りを入れてみたんだが、奴さん、事件当夜はいきつけの店で飲んでいたらしい。つまりアリバイがあるってことだ。何となく残念な話だが」

同感だ、と高間は思った。

「それにだ、奴の話によると、須田志摩子は借金を返したらしい。今まで返せなかった金が急に返せたというのも変なので、志摩子の方にたしかめてみた。すると彼女のいうことには、葬式の夜に、須田正樹氏に世話になったという人物が現れて、三十万円もの大金を置いていったというんだな。借りていた金を返すだけだと男はいったらしいが、一緒に置いていった連絡先はデタラメだったという話だ。――おい、これはいったいどういうことだと思う？」

「本当の名前を語らずに金だけ置いていくなんて、なかなかやりますね」

「単なる格好づけならいいんだがな。こんな時におかしなことが起こったものだ。事件との関連はあると思うか？」

高間は首をすくめて、お手上げのポーズを作った。「見当もつきませんね」

「同じくです」と小野もいった。

「とにかく心に留めておいてくれ」

うんざりした顔で本橋はいった。

芦原のアパートに向かって高間と小野は出発した。時間があれば東西電機にも行ってみるつもりだった。途中、須田家に現れた謎の男の話になった。

「金を置いていくなんて、まるで義賊ですよね。自分のところにも来てくれませんかね」

小野が羨ましそうにいった。「よほど金が余っているんですよ、きっと」

「金が余ってる人間なんているのかな」

「いますよ。東京のね、田園調布だとかに住んでる連中ですよ。この間本で読んだんですけどね、あのあたりの売家だと、百四十坪で二千万円だそうですよ。二千万ですよ。このへんだと城が建ちそうですよ」

「金を持っている者は、それを元手にまた稼げるらしいからな。株とかで儲ける者も多いんだろ？」

「そうですね。でも、この頃は兜町も暇だそうですよ。ケイセン屋も、だいぶん姿を消したとかいってますから」

ケイセン屋というのは、独自に相場を予想し、それをプリントして売る商売のことだ。大道に黒板を置いて派手に予想をしゃべる者もいる。

「まあとにかく、須田家に現れた謎の男に関しては、単に金が余っていただけだとは思えんからな。本当に昔の恩返しというなら、それが一番いいんだが」

変に事件に関係しているとしたら厄介だ、というのが高間の本音だった。

芦原のアパートは、須田武志らの家がある昭和町から五キロも離れていなかった。何を作っているのかもわからないような小さな町工場が、びっしりと密集した地域だった。普通の平屋だと思って覗くと、中でランニングシャツ姿の男が旋盤やフライス盤を動かしていたりするのだ。じとじとと湿った地面には、よく見ると鉄粉や鉄クズがいっぱい飛び散っていた。

その地域の脇には逢沢川の分水路が走っているが、そこからはゴミや油の臭い、それから腐臭などが混じりあって流れてきていた。

芦原が住んでいたというアパートは、その分水路に面して建ててあった。古い木造の二階建てで、壁にはいくつも修復のあとがあった。芦原の部屋は二号室で一階にあったが、その戸は鍵がかかっていたし、中には誰もいないようすだった。

高間や小野がうろうろしていると、一号室の戸が開いて、丸顔の太った中年女が顔を出した。何か用かというので小野が警察手帳を見せると、途端に低姿勢になった。女は家主に雇われて、ここの管理人をしているのだといった。安化粧品の匂いがぷんぷんする、強欲そうな女だった。

「芦原誠一さんはいつ頃からいないんですか？」と高間は訊いた。

「三月の終わりぐらいまでは時々顔を見ましたよ。でも突然ふらっと出ていって、それっきり。まあ四月分の家賃は三月のうちに頂いてましたからそのままにしてますけど、帰ってこないようだったら、中の荷物なんかも処分しようかと思ってるんですよ」

女はチューインガムを嚙みながら答えた。

「部屋の中を見せてもらいたいんですが、いいですかね？」

「いいんじゃないですか。この前あたしも見ましたけど、大したものは置いてませんよ」

女はひきずるような足取りで自分の部屋に入ると、鍵の束を持って戻ってきた。

芦原の部屋にはたしかに大したものは何もなかった。たっぷりと湿気を含んでいるらしい安物の布団と、段ボール箱がひとつ置いてあるだけだ。段ボール箱の中には、薄汚れた下着や靴下、ちり紙、ボロ布、金槌、釘などが乱雑に入っていた。

「芦原さんがここに来たのはいつ頃ですか？」

高間は女管理人に訊いた。

「ええと、去年の秋……十月でしたよ、たしか」と女は答えた。

「仕事は何をしていたんですか？」

「最初は何もしていませんでしたよ。だけどしばらくして、近くの印刷所で活字拾いみたいなことを始めたようでしたね」

その印刷所の名前を小野が訊いてメモした。

「ここに人が訪ねてきたことはなかったですか？」

「ここに？　さあ……」

女は大袈裟に顔をしかめて考えていたが、すぐに高間を見返した。「そういえば誰か来てたことがありましたね。若い男の声がして……顔を見たことはなかったけれど」

「いつ頃のことですか？」と高間は訊いた。

「一、二ヵ月前だったと思いますよ」

それが須田武志だったのではないか、と高間は思った。

さらに高間は、芦原が夜どこかに出かけていたようすはなかったかと尋ねた。須田の練習相手をするために、石崎神社へ通っていたはずだからだ。

だが女はそこまでは知らないと、やや無愛想になって答えた。

アパートを出たあと、高間たちは芦原が働いていたという印刷所に行ってみた。主人は金縁眼鏡をかけた小男だった。小男は芦原誠一のことは覚えていたが、どこへ行ったのかは知らないと答えた。もともと暮れの忙しい時を乗りきるために雇っただけなので、そろそろ解雇したかったのだともいった。

「芦原と武志がつながったとしても、まだ疑問は多いな。いったい二人はどこで知り合ったのだろう？」

東西電機に向かう電車の中で高間は呟いた。

「だからそれは例の少年野球で、じゃないですか」と小野がいった。

「少年野球で顔を合わせて、それで意気投合したとでもいうのかい？」

「違いますか？」

「違うと思うな。武志の神社での練習が、『魔球』という変化球の修得にあったのなら、そのパートナーはもっと慎重に選ぶはずだ。それに彼には北岡明という女房役がいた。彼が芦原を練習相手に選んだのは、それなりの理由があったからだ。言い方を変えると、武志には芦原が必要だったんだ。必要だから、彼に会うために少年野球の練習場に行った」

「なるほど。武志は最近になってから急に顔を出すようになったと、少年野球の監督がいってましたからね。その推理、当たりですよ」

「しかし、そうだとすると、武志は以前から芦原を知っていたということになる。特に有名でもない芦原をなぜ知っていたのか？　そして芦原の何を必要としたのか？」

高間が思わず唸り声を漏らした時、電車は目的の島津駅に到着した。

駅前には小さなロータリーがあり、それを取り巻くように商店が並んでいる。一番端には派出所があり、若い警官が欠伸をしていた。駅の便所の前で、浮浪者が二人寝そべっている。

目指す建物はすぐに見つかった。『ＴＯＺＡＩ』という看板がかなり遠くからでも見えるように掲げてあったからだ。

東西電機の正門は警戒が厳重で、来客だけでなく、社員と思える者まで守衛から身分の確認を要求されていた。

「まるで駅の改札口みたいですね」と小野が囁いた。

「例の事件があったからだろう」

高間は思い出していった。「この会社に爆弾が仕掛けられた事件があっただろう？　その影響だよ」

「そういえばあの後、ここの社長が誘拐されるという事件もありましたよね。捜査の方はどうなんでしょう」

「さあな。金を要求して、金を取らずに社長を誘拐するというのも妙な話だと思ったが」

高間たちが身分を提示すると、守衛はやや緊張の面持ちになり、

「ごくろうさまです」

としゃちほこばっていった。たぶん爆弾事件の捜査に来たと思ったのだろう。

高間はそうではないと説明したあと、別の事件捜査のために人事部の人間に会いたいのだといった。守衛はあまり腑に落ちないようだったが、それでも何もいわず入門許可証を差し出した。

正面玄関から入って受付嬢に用件を話すと、二人は奥のロビーに案内された。ロビーには四人がけの机が五十脚ぐらい並んでいて、社員や来客たちが熱心なようすで商談や打ち合わせをしている。

高間たちはその一つに腰を落ち着けたが、小野はすぐに立ってどこかに行くと、パンフレットを持って戻ってきた。東西電機の宣伝用らしい。

「設立後、まだ二十年も経っていないんですよね。それでも昨年の売上は百五十億円だそうですよ。設立時が、たったの七千万円だから、すごい伸び方だな。現在の資本金は三十億だそうです」

小野がパンフレットを見ながら、感心した声を出した。

「成功する者ってのはそんなものだよ」

高間もパンフレットを手に取ってみた。一頁目に中条社長の写真が載っている。この人物が誘拐騒ぎに巻き込まれたと思うと妙な感じだった。

しかしこの時高間は、それ以外に何か引っ掛かるものを感じた。何なのかははっきりしない。そして時間がたつにつれて、最初の直感は薄れていくようだった。

「どうしたんですか？」と小野が訊いた。

「いや、何でもないんだ」

高間は顔をこすった。

五分ほどして人事部の元木と名乗る男が現れた。色が白く痩せ気味で、神経質そうな男だった。

「爆弾事件のことで何かわかったのですか？」

元木は細い声で尋ねてきた。やはりこの男も勘違いしているらしい。まあ無理もないことだろうと高間は思った。

「いや、そうではないんです。別の事件で伺ったのです。爆弾のことは関係ありません」

高間がいうと、元木はまごついたように視線を動かした。

「別の事件といわれますと？」

「殺人事件です」

高間ははっきりといった。元木は返す言葉が見つからないらしく、口を閉じ、目だけを大きく開いた。

「じつはある事件の関係者の中に、以前東西電機さんに勤めていた人がいるのです。その人のことを調べているわけですが……芦原誠一さんという方を覚えておられますか？」

「えっ、芦原？」

元木は声をひっくり返らせた。その驚きぶりが、高間には気にかかった。

「野球部の芦原さんですが、どうかされましたか？」

「いや、あの……爆弾事件とは関係ないという話でしたよね？」

「関係ありません。高校生が殺された事件について調べているのです。何か？」

「はあ、あの……」

元木は少し迷いを見せてから、いった。「じつは昨日も刑事さんが来られまして、その方は爆弾事件のことを捜査しておられたようなんですが……それがですね、その刑事さんも芦原さんのことを訊いて帰られたんです」

「えっ、本当ですか？」

「本当です。芦原さんの退職後の住所だとかです。何のためなのかは話してもらえませんでしたが」

「何という名前の刑事でしたか？」

「たしか上原さんといいました」

高間は小野に目くばせした。小野は素早く立ち、公衆電話の並んでいるところへ歩いていった。上原なら、もちろん高間は知っている。桑名班にいる刑事だ。そういえばあそこの班が、爆弾事件を担当しているという話だった。

それにしても爆弾事件にも芦原が関係しているとはどういうことなのだろう、と高間は考えを巡らせた。偶然なのか、それとも——。

「上原刑事はどんなことを訊いていきましたか？」

「ですから芦原さんの退職後の住所と、在籍時代の経歴などです」

「すみませんが、それを私にも話してもらえませんか？」

「いいですよ。ちょうどその時のメモがありますから」

元木はＴＯＺＡＩというネームの入ったノートを開いた。

昭和三十年に和歌山県の南海工高から入社した芦原は、電気部品製造部生産三課に配属されたが、その年の十二月にテスト品実験班に移されている。野球部に入ったので、時間的に融通のきく職場の方がいいだろうと配慮されたらしい。

野球部での成績は、最初の四年ほどは大したことがないが、その後エース級にのし上がってくる。

三十七年、作業中に事故を起こして右足の機能を失う。同年、退職。

退職後の住所は、例のアパートではなかった。あのアパートの前に住んでいたところがあるらしい。

「会社にいた頃の住所はわかりますか？」と高間は訊いた。

「わかりますよ。野球部ですから青葉寮に入っていたはずです。青葉寮というのは、ここから北に一キロほどいったところにある運動部員専用の寮ですよ。グラウンドや体育館もそのそばにあります」

元木はノートの余白に地図を描き、そこの部分を破ってくれた。

「事故というのは、どういうものだったのですか？」

「つまらないものです」と元木はいった。「ガス・バーナーを使って作業しようとしていたところ、ガスが漏れていたらしく、突然火が出て足を焼いたんだそうです。調べた結果、作業手順ミスと安全確認不足ということがわかりました。まあ自業自得ですね」

「ほう……」

「本来なら大事故になるところですから、謹慎処分は当然だったんですが、その時は譴責《けんせき》処分で済んでいます。大サービスですよ」

元木がノートを閉じた時、小野が戻ってきた。高間は元木に礼をいって別れた。

「上原さんも芦原を追っていること、本橋さんに連絡しておきました。驚いてましたよ」

「まあ、そうだろうな。別々の事件が思わぬところでつながったものだ」

「早速桑名さんのところに話してもらえるそうです」

「ごくろうさん」

「芦原の居場所はわかりましたか？」

「いや、残念ながらそれはだめだった」

そして高間は芦原の経歴について説明した。

「野球選手が足を怪我しちゃおしまいですよね」と小野は吐息をついた。

芦原がいた職場の人間から話を聞こうということになり、小野がテスト品実験班という部署に電話をかけに行った。だがすぐに彼は戻ってきた。冴えない顔をしている。

「だめだったか？」と高間は訊いた。仕事中、急に呼びだすのは無理かもしれないとは思っていた。

「それが妙な話でしてね、芦原とはあまり誰も親しくなかったから、役に立つ話なんかできないっていうんですよ。それでもいいから一度会ってくれといったら、今は忙しいとかいって切られちゃいました」

「ふうん、それは妙だな」

「会社を出るところを待ち伏せしましょうか？」

「いや、今日のところはいいだろう。それよりも野球部の寮に行ってみよう。そちらの方が面白い話が聞けそうだ」

高間は上着を脱ぎ、それを肩に担いだ。

東西電機の北側はずっとキャベツ畑が続いていて、それが途切れたあたりに、白く真新しい団地ふうの建物が並んでいた。そこは金網で囲まれていて、『東西電機株式会社　第一社宅』と書いた札がかかっていた。

その先にグラウンドがあり、それに面して二階建ての建物が三つ並んでいる。そのうちの一つが青葉寮だった。

高間たちが玄関に入ると、まず左側に置いてある大きな下駄箱が目に入った。ここの寮生は二、三十人いるらしく、数十足以上の靴が雑多にほうりこまれている。そこからは、何だか奇妙な臭いが漂ってくるようだった。

「どなた？」

右側の小部屋から、白髪頭の男が顔を出した。窓口の上に寮監室と書いてあるから、この男が寮監なのだろう。

高間たちが名乗ると、男は用心深そうな目をして、

「芦原君の居場所ならわかりませんよ」

といった。どうやらここにも上原刑事はやって来たらしい。

白髪頭の寮監は、さらにいった。「あんたたち、あの子が爆弾を仕掛けたと思ってるようだが、とんだ見当違いだ。あの子はそんなことのできる子じゃない」

「いや、我々はその件で来たんじゃないんですよ。ほかの事件のことで、芦原さんを探しているんです。野球に関する事件なんですよ」

「野球に関する事件？」

敵意に満ちていた男の目に、ほんの少し変化が現れた。野球部の面倒を見ているだけに、野球という言葉には弱いのかもしれない。

「開陽高校の須田武志君が殺された事件を御存知ないですか？　あの事件のことを調べているんですが」

すると寮監は白毛の混じった眉を寄せて、哀しそうな顔をした。

「須田君か。あれは惜しいことをした。あんないい投手が死ぬなんてなあ」

「さすがによく御存知ですね」

「よく知っとるよ。昔から知ってる。あんな開陽なんていうヘボチームに入ったのが間違いのもとだった。あれはやっぱり、うちの会社でとるべきだった。わしは、そういったんだが」

自分をスカウトのように思っているらしい。高間は内心苦笑した。

「でも須田君を知ったのは高校に入ってからでしょ？　だったらその時点で手遅れじゃないですか」

小野が冷やかすようにいうと、寮監は憤慨したように目を剝いた。

「そうじゃない、わしはあの子を中学の時から知ってるんだ。それに、ひとつ違っていたら実際あの子は東西に入ったかもしれないんだ」

この言い方が、高間には気になった。「ひとつ違っていたら、とは？」

「中学三年の時に、あの子がここへ来たことがあるんだ。練習を見学したいといってね」

「須田武志がここへ来た？」

高間は声をあげていた。そして、「その話、詳しく聞かせてください」といって、勝手に横のドアから寮監室に入った。

「詳しくも何も、そういうことだよ。もしかしたら東西に就職するかもしれないからといって、練習を見学に来たんだ。残念ながら来たのはその時だけだが」

「一人で来たんですか？」

「いや、あれはたしか」と寮監は細めた目を天井に向けた。「そうだ、三谷君が連れてきたんだ。うん、間違いない」

「三谷さんというのは？」

「うちの選手だよ。外野をやっとる。いい肩を持ってるんだ、これが。彼が須田君の中学の先輩で、その関係で連れてきたんだった」

「その三谷さんという方にお会いできますか？」

高間は勢いこんで訊いた。

「出来るよ」と寮監は壁の丸時計に目をやった。「もうすぐ練習を終えて帰ってくるはずだ。それまでここで待っていればいい」

徐々に愛想がよくなってきた寮監は、二人の刑事に茶まで出してくれた。

「ところで、須田君の事件にどうして芦原君が関係あるのかね？　まさか芦原君を疑っているんじゃないだろうね」

「とんでもない」と高間は掌を振った。「須田君は殺される前に芦原さんと会ったらしいんです。それでちょっとお話を伺いたいと思っているんですが、行き先がわからないので困っているんですよ」

それから高間は茶を啜り、機嫌取りも兼ねて芦原のことを訊いてみた。「芦原さんというのは、どういう投手だったんですか？」

「いい投手だったよ。和歌山の南海工のエースでね、三年の夏に甲子園に出たことがある。残念ながら一回戦で負けたが」

懐かしさからか、寮監の表情に笑みが表れた。「球はそれほど速くはなかった。しかし万事丁寧だった。コントロール・ミスなんか殆どない。わしはあの子が坊主頭だった頃から知っているが、何か光るものを持っておったよ」

「得意球は何だったんですか？」と高間は訊いた。

「うーん、いろいろと投げたな。まあカーブかな。それから落ちる球」

「落ちる球？」と高間と小野は声を合わせていった。

「そう、落ちる球だ。こう、すうーと入ってきて」と寮監はボールに見たてた右の拳を目の前まで持ってきて、「ホームベースの手前で、突然ゆらゆら落ちる」といって、それを左右に揺らしながら下方へ動かした。

「面白い球だったよ。アシ・ボールとか呼んでたな。芦原のアシだ。サインなんかなしで突然投げるものだから、捕るのが大変だったとキャッチャーがこぼしておった。しかし威力はあったな」

高間は小野と目線を合わせて頷いた。もしかしたらそれが『魔球』なのかもしれない。そして須田武志は、その球を教えてもらうために芦原に近づいたのではないか。

「じゃあ、投手としては一番いい時期に事故に遭われたわけですね？」

高間が訊いた。

「そうだな。あれはまあ、わけのわからん話だったが……」

「わけがわからないというと？」

「いや、何でもない」

寮監は表情の乱れをごまかすように湯のみ茶碗を口元に持っていった。芦原の元の職場では彼の話題を避けているようだし、どうやら例の事故には何かあるらしい、と高間は思った。

それから間もなく玄関の方が騒がしくなった。野球部員たちが戻ってきたのだ。寮監が窓口のところにいって、三谷という部員を呼んだ。警察の人が来ているという声を聞くと、騒がしかった部員たちの声がいっぺんに静かになった。

三谷というのは、小柄だがよく筋肉のついた身体をした部員だった。面がまえからは負けん気が強そうな印象を受ける。最初は警戒して顔がこわばっていたが、須田武志のことだというと、表情が歪んだ。

「あいつ、かわいそうなやつですよね。野球一筋でがんばってきて、あんな目に遭ったんだから……。絶対に犯人を捕まえてくださいよ」

がんばります、といってから高間は、三谷が武志をここに連れてきた時のことを確かめた。三谷はそのとおりだと認めた。

「その頃俺は、たまに中学の練習のようすを覗いたりしてたんですが、その時に須田の方から頼まれたんです。もしかしたら高校には行かずに東西を受けるかもしれない、だから会社を見学させてもらえないかってね。須田が入ってくれたら、うちとしては万々歳だから、早速監督とかに話して見学の許可を貰ったんです」

「案内はあなたが引き受けたんですね？」と高間は訊いた。

「そうです。まずここに連れてきて、寮の仕組みだとか設備を説明しました。それからグラウンドに行って、練習風景も見せました」

「投球練習所も？」

「もちろん見せました。うちはなかなか設備が整っているんですよ。そうだ。あの時は須田も、ずいぶん長い間投球練習所を見ていましたよ。見学者がいるってことで、ピッチャーたちが力んで投げていたのを覚えています」

「その時のピッチャーの中に芦原さんはいましたか？」

寮監の方をちらりと見てから高間は訊いた。

「芦原？　ええ、いましたよ。あの頃は絶好調でした。でも芦原が何か？」

「最近、須田君と会ってたらしいんだ」

横から寮監がいった。へえ、と三谷は意外そうな顔をして刑事たちを見た。芦原を疑っているのだろうかという目だ。

「その頃芦原さんは変わった球を投げておられたそうですね、アシ・ボールとか」

高間は話題を変えてみた。

「ええ。ちょっと不思議な球でしたね。揺れて落ちるんです」

「揺れて、落ちる……ね」

どうやらつながってきた、と高間は満足した。その時に武志は初めて芦原の『揺れて落ちる球』を見たのだ。そしてその時のことをずっと覚えていたのだとしたら――。

「須田君をここに連れてきた時、彼は他の人と話をしましたか?」

「ええと、よく覚えてないですけど、部員とは話さなかったと思います。監督が、入社するようにしきりに勧めてましたけど」

「ここを見学したあとは?」

「本社の方に連れていきました」と三谷はいった。「須田が希望したんですよ。正直いって俺は、あいつには野球部の練習風景と寮だけ見せればいいと思ってたんですけどね」

「ほう、須田君が希望したんですか」

高間も少し意外な気がした。就職ということを考えれば、本社を見るのは当然といえば当然だが。「本社のどこを見学したんですか?」

「いろいろですよ。工場だとか、事務室とか」

「そこまで熱心に見て、結局入社しなかったんですね」

「そうなんですよ」と三谷は少し怒ったような顔を作った。「それから少しして、やっぱり進学するっていってきたんですよ。まあ仕方ないですけどね。あいつの狙いはわかったんです。甲子園に出て注目される方が、プロ入りには有利だと判断したんでしょう。それにしても、あんな高校でも甲子園に出られると信じていたんだから、大したものです」

三谷の話を聞いていて、高間は何だか少し変だなと感じた。武志はかなり昔からプロ入りを希望していて、そのための設計図を描いていたはずだ。なぜ中学三年の時点で、就職か進学か迷ったのか？　やはり少しでも早く家計を助けた方がいいと判断したのか？

「その見学後、三谷さんは須田君とはお会いにならなかったんですか？」

「いえ、中学で何度か会いました。でも就職の話は出ませんでしたね。こっちも、あまりこだわりたくなかったですから。須田が中学を卒業してからは会ってません」

「そうですか」

武志が東西電機の見学を希望した理由はともかく、もう少し芦原のことを訊いておく必要があった。

「芦原さんの話に戻りますが」と高間は前置きした。「そのアシ・ボールというのは、具体的には何だったのですか？　カーブとか、そういうのですか？」

「いや、カーブではないですね。どちらかというと、ナックルとかパームみたいなものかな。でも握りはどちらとも違うんです。芦原はその投げ方を秘密にしていたんですけど、一度誰かが八ミリで撮影して研究したらしいんです。すると握りは真っすぐを投げる時と殆ど同じなんですよね。何が違うかわからない。でもボールは変化するんです。ゆらゆらっとね」

その動きを表現するように、三谷は掌をひらひらと振った。

「誰もその秘密を知らないのですか？」と高間は訊いた。

「知らないです。芦原は誰にも教えませんでした。あまり秘密にするんで、妙な噂もたちました」

「妙な噂というと？」

「妬み半分の、つまらない噂ですよ」

そういって三谷は肩をすくめて見せた。「芦原はボールに仕掛けをしているっていうんです。唾やグリスを指につけて投げてるんじゃないかとかね。こうすると、投げる瞬間に指先が滑ってボールが不規則変化をするんだそうです。それからボールに傷をつけてるんじゃないかという説もありました」

「ボールに傷？」

「紙ヤスリでつけるんです。投げる前にさっとね。そうやって投げると、空気との摩擦が妙な具合に働いてボールが変化するらしいですね。嘘か本当かは知りませんけど」

いろいろなやり方があるものだと高間は感心した。そういう疑惑の説が出てくるということは、過去にそういうことをやった投手がいたということだろう。そうまでして自分なりの魔球を手に入れたかったということか。

「でも芦原さんのボールは、そういう反則ではなかったのですね」

「俺はそう信じています」と三谷はきっぱりといった。「何人もの人間が調べましたよ。でも芦原はシロだった」

「そんなに疑われているのに、芦原さんは秘密にしたんですね。なぜでしょう？」

「永遠の謎にしたかったんじゃないですか。未だに我々の中じゃ、あの球はすごかったって語り草になってますしね」

そういうものかな、と高間は思った。

芦原の居場所を知らないかと訊いてみたが、三谷は知らないと答えた。嘘をついているようすはなかった。ただ芦原の足の事故について訊いた時には、明らかに歯切れが悪くなった。やはり何かを隠しているのだ。

別れ際、高間は今年の選抜大会での開陽の試合を見たかと尋ねた。見た、と三谷は答えた。

「惜しかったですね。あんな暴投をするやつじゃないのに」

「あの時の球をどう思います？」

「さあ、やっぱり緊張して手元が狂ったんでしょうね。甲子園には魔物がいるっていうから。天才須田でも魔物には勝てなかったということですよ」

3

高間たちが捜査本部に戻ると、本橋のところで上原も一緒に待っていた。上原は高間より二歳ほど年下だ。

「そちらの事件に芦原が絡んでいたとは驚きでした」

上原は人なつっこい笑みを浮かべていった。

「こっちも驚いたよ」と高間も笑顔で答えた。「爆弾事件のことで、かなり芦原のことを調べたらしいね。おかげであちこちで嫌われた」

「自分の方では芦原を怪しいと睨んでいます。高間さんたちのおかげで、やつの一番新しい住所が判明して助かっているんですよ。例の工場地帯のアパートに行ってきました。部屋に置いてあった段ボール箱を、今鑑識で調べています」

「いくらかもらわないといけないな」と高間は煙草に火をつけた。「で、どうして芦原が怪しいと？」

「それはまあ、いろいろと紆余曲折がありましてね」

上原は耳を掻きながら、手にしていたレポート用紙を見た。捜査会議用の資料らしい。

「我々は、当初から爆弾を仕掛けたのは東西電機の関係者と判断していました。特にその手口などから元社員が怪しいと考えました。また、爆弾が三階の便所に仕掛けられたという点にも注目しました。三階には資材部と宣伝部があります。犯人はこのどちらかに恨みを持つ人間ではないかと推理し、以前にこれらの部署に所属していた退職者を徹底的に追いました。ここでずいぶん回り道をしてしまいました。これらの調査は全く無意味だったのです」

「というと？」

「しばらくしてわかったことですが、あの建物内の部署は、一昨年の暮れに部屋の移動を行っているんです。それまで三階にあったのは、健康管理部と安全調査部でした」

「すると犯人が一昨年以前に辞めたのであれば、そのことを知らない可能性がつよいわけだ」

「その通りです。その場合だと、犯人が狙ったのは健康管理部か安全調査部のどちらかということになる。我々は調査をやり直しました。そこで注目したのは、安全調査部が社内の事故を扱っているという点でした。事故が起きた場合、それが人為的ミスかどうかを判断したりもするわけですが、そこで個人のミスと判断された人は、実質的に出世コースから外れてしまう。中には辞めざるを得なくなる人も多い。これでは恨みを買うこともあるのではないかと」

「それで過去の事故を調べたところ、芦原にいき当たったと……」

「自分があの事故に目をつけたのは些細なことからです。事故報告書がやけに簡単で、しかも曖昧な表現が極めて多いんです。それで係の者に訊いてみても、どうもはっきりしない」

「今日、我々が当たった先でもそうだった」と高間はいった。

「それで芦原の元の職場の人間をつかまえて、強引に訊き出しました。その男は絶対に自分がしゃべったとはいわないでほしいと悲愴な顔でしたがね。やはり事故には裏がありました。事故の内容は御存知ですね？」

高間は頷いた。「知っている」

「ガスバーナーの操作ミスということでしたが、どうやらそうじゃないらしい。ゴム管が劣化していて、そこから漏れていたガスに引火したようなんです」

「ほう」

バーナーの手順ミスと聞いて、高間も妙な気がしていたのだった。

「ところが安全調査部の連中は、それを巧妙に隠したわけです。火はそばで作業していた社員たちが消したので、大きな騒ぎにはならなかった。救急車が一台かけつけただけです。それをよいことに、問題のバーナーやゴム管を別のものにすりかえ、芦原の作業ミスということにしたわけです」

「なぜそんなことをしたんだろう？」

「単純なことです。問題のバーナーは、その一週間前の定期点検で異状なしという御墨付きを貰った品だったのです。そしてじつはその定期点検をしたのが、ほかならぬ安全調査部だったわけです。だから器具に問題があったとなれば、その点検に手抜きがあったということになります」

読めてきた、と高間は思った。自分たちの不始末を隠蔽するために、芦原を陥れたということだ。

「だが目撃者がいたのだろう？　消火にあたった社員たちは知っていたはずだ」

「三人の人間がその場に居合わせたそうです。しかし三人とも、事故原因はよくわからなかったと証言しました。上から圧力がかかったのですよ。会社としては、安全調査部の権威が落ちることを恐れたわけですよね。芦原は自分のミスではないと主張したらしいが、結局聞き入れてもらえなかった。だが不思議なもので、何となく噂は広がって、社員の何人かは薄々知っている。知っているが、口には出せない。今度は自分の首があぶなくなりますからね」

「よく組合が黙っているな」

「東西の組合は手飼いです。無力といっていいでしょう」

高間はため息をついた。芦原に対する同情の気持ちが湧いてきた。爆弾でふっ飛ばしてやりたくなるのも、わかるような気がした。

「今のところ芦原ほど強烈な動機を持つ者はいません。ただ疑問点はいくつかあります。まずダイナマイトの入手経路。次に片足の不自由な芦原が、東西にのりこむということができたかどうか。そして中条社長を脅し、誘拐しようとしたのも芦原の仕業なのかどうか。以上のことを考えると、どうも共犯者の臭いがするんですがね」

「共犯者か」

高間は小野と目を合わせた。須田武志の顔が頭に浮かんだ。

「芦原と須田武志とのつながりは摑めたのか？」

彼の考えを読みとったように、本橋が尋ねた。

「摑めました」

そして高間は今日の報告をした。上原も横で聞いている。

「そうか。すると石崎神社で武志の練習相手をしていたのは、芦原と考えて間違いなさそうだな」

満足したように本橋がいった。「あとは爆弾の方にまで武志が関係しているかどうかだが」

「芦原が武志を殺したんでしょうか？」

若い小野が意見を求めるようにいった。

「まだ何ともいえんな」と本橋は答えた。「怪しいことはたしかだが。動機としては、爆弾事件の絡みかな」

「しかし、須田武志が爆弾事件に関係している可能性は低いと思うのです」と上原はいった。「野球の練習を一緒にしていたからといって、犯罪に手を貸すとは思えない。それに中条社長の話では、犯人は中年の太った男だということでした」

「中年のデブか。須田武志とは似ても似つかないな」

隣で小野が呟いた。

「とにかく芦原を見つけだすことだな。それが両方にとっても、先決だ」

とりまとめるように本橋がいった。高間は上原と共に頷いた。

4

翌朝高間は早起きして、芦原がコーチをしていたという少年野球の練習を見に出かけた。場所は町はずれにある県営グラウンドだった。

早朝だというのにグラウンドは賑やかだった。ランニングをしている者、体操をしている者、そして草野球を楽しんでいる者。これほど多くの人間が集まっているとは高間は想像していなかった。

草野球の反対側で練習しているのが、町内の少年チームだった。ユニホームにブルーソックスと片仮名で書いてある。少年たちは監督らしき男のノックを受けていた。掛け声にも、その動きにもきびきびしたものがあり、見ているだけでも壮快な気分になれた。

しばらくすると少年たちは二列に並んでランニングを始めた。今朝の練習は終わりらしく、ノックをしていた男も引きあげてきた。

「八木さんですね？」

高間が声をかけると、男は驚いたように立ち止まった。八木という名前は小野から聞いていた。八木は四十過ぎのがっしりした男で、頭を五分刈りにしていた。

高間は身分を名乗り、芦原と須田武志のことでもう少し訊きたいことがあるのだといった。八木は真剣な顔つきで承諾した。

「芦原君は熱心なコーチでしたよ。捕球姿勢やバッティング・フォームまで自分でやって見せるんですが、片足が不自由でしょ？　何か一生懸命な気持ちが伝わるらしく、子供たちも非常によくいうことを聞いていました」

「どういう筋で芦原さんがここのコーチをされることになったのですか？」

「自分から使ってくれといって来たんですよ。まあキャリアは申し分ないし、やる気充分だったから、手伝ってもらったというわけです」

「そのキャリアのことですが、東西電機時代のことを話されたことはありますか？」

「いや、あまり話さなかったですね。こちらも気を使ってたし」

「そんなにいいコーチだったのに、父兄には評判が悪かったんですね」

「うん、まあ、別にそれほど悪かったわけじゃないんですよ」

八木の口調は俄に鈍った。そして五分刈りの頭をぽりぽりと掻いた。「父兄の中にリーダー格というか、実力者がいましてね。どうやらその人が強力に主張されたので、他の父兄も反論できなかったようなんですよ。子供たちの間にひびが入ってはいけないので、そのへんの事情は隠していますが、そういう馬鹿な親はどこにでもいるものです」

「いるものですね」と高間も同意した。

少年たちがグラウンドを一周して戻ってきた。そして二周目に入る。八木が、もっと声を出してと注意すると、彼等の声はすぐに大きくなった。何人かが高間の方を見ている。

「最近は、須田武志君も時々ここに顔を出していたそうですね」と高間はいった。

「ええ。でもまたすぐに来なくなりましたけどね」

八木は苦笑した。

「須田君は芦原さんと話をされていましたか？」

「していたように思いますね。以前から面識があるようには見えませんでしたが」

「八木さん、じつはお願いがあるのですが――」

高間がいうと八木は少し身構えたような顔をして、「何ですか？」と訊いた。

「子供さんたちに訊きたいことがあるのです。芦原さんがコーチをなさっていた頃、そのことを須田君に話した子がいるかどうかをたしかめたいんですよ」

「ほう……そうですか」

八木は何か訊きたそうだったが、あまり立ち入ってはいけないという雰囲気を察したのかもしれない。何もいわず、メガホンを持って少年たちの方を向いた。そしてこちらに集まるようにいう。子供たちは列を乱すことなく走ってきて、そのまま八木の前に並んだ。大したものだと高間は感心した。

八木が高間の質問を代弁してくれた。少年たちは皆怪訝そうにしていたが、八木が二度質問を繰り返すと、端の方で手を上げる子がいた。ひょろりと痩せた少年だった。

「本当か、ヤスオ？」と八木は訊いた。ヤスオは、細い首をこっくりと曲げた。

やっぱりそうだったか、と高間は少年を見て頷いた。須田がここへ芦原に会いに来たということは、ここに芦原がいることを誰かが教えたはずなのだ。

「よし、じゃあヤスオを残してあとの者はランニングだ」

八木がいうと、少年たちはまた走りだした。本当によく鍛えられている。

高間はヤスオにその時のことを教えてほしいといった。ヤスオの話によると、どうやら彼の家は須田家の近所らしい。問題の会話は、去年の暮れに銭湯で交わされたのだった。

「須田さんが、ブルーソックスの調子はどうだって訊いたから、今度すごいコーチが来たっていったんです。須田さんは、誰だって訊きました。だから僕、芦原という人で、昔東西でピッチャーやってたんだっていいました」

「その時の須田君のようすはどうだった？」と高間は訊いた。

「別にどうってことなかったと思うけどな……」

あとはヤスオは口の中でもぞもぞいった。

間違いないと高間は確信した。その時に武志はここに芦原がいることを知ったのだ。芦原と聞いて、彼の脳裏には蘇るものがあった。三年前に東西電機の練習場で見た、芦原の『魔球』だ。そこで彼はそれを教えてもらおうとして、このグラウンドへやって来た。そして石崎神社での特訓が始まったのだ。

問題はその『魔球』が、事件にどう関わってくるか、だが——。

用が済んだのでヤスオはランニングの列に入っていった。その後ろ姿を見送りながら、

「少年時代の須田武志君は、どういう子供だったのですか？」

と高間は八木に訊いた。

「難しい質問ですなあ」と彼は苦笑した。「一言でいうなら、やはり天才でしょうな。たとえばあの子が本格的にピッチングを始めた頃の話なんですが、あの子も最初はフォームがバラバラだった。それで一度にいろいろなことをいっても無理だろうから、一つだけ欠点を指摘する。すると次の日には、それがきっちり直っているんですな。そこでまた別の欠点をいう。また翌日それ

を直してくる。その繰り返しで、あっという間に見事なフォームを身につけました。いったいどうやっているのかと思って訊くと、注意を受けた夜に銭湯の鏡の前で何度もシャドーピッチングをするんだそうです。それで直るんだそうです。小学校の三年ぐらいでしたが、並の子供じゃないと思いましたね」

「すごいですね」と高間はいった。怖いぐらいだと思った。

「そのほかにも、あの子が天才だったということを証明する話はありますよ。練習よりも試合の時の方がコントロールがいいとか、直感的に打者の読みを外してしまうとか。もちろん球の速さも天才的でした」

「性格はどうでしたか？」

「性格ですか……」

八木はちょっと考えこむように言葉を詰まらせたあと、「率直にいって、あまり明るい性格ではなかったですね」と小声でいった。「無口で、練習の時以外は大抵一人でした。バスで試合場に行く時など、須田の横はつまらないから嫌だという子もいましたよ。でもあの子は、内には激しいものを持っていましたね。あれは何といえばいいのかなあ。闘志とも違うし、反骨心とも違う。もう少し異常な感じを受けたな」

「異常？」

そんな形容が出てくるとは予期していなかったので、高間は思わず訊き直した。

「グローブ事件というのがあったんですよ」と八木はいった。「一人の子供のグローブが、ズタズタに切られるという事件です。ほんの少し目を離した隙の出来事で、その時は犯人はわからなかったのですが、何年か後になって、須田君の仕業らしいとわかりました」

「須田君が？」と高間は眉を寄せた。「なぜそんなことを？」

すると八木は次のような話を聞かせた。

須田武志が五年生の時だった。早朝練習を始める時刻が、三十分早められることになった。チーム力強化のためだ。ところがそのように変わってから、毎回遅刻してくる子供がいた。武志だった。いつも五分程遅れて、息をきらせて駆けこんでくるのだ。理由はいつも同じで、「寝坊」だった。

八木は最初は叱っていたが、何日も続くと変だと思うようになった。おまえ何か隠しているんじゃないかと訊いてみた。だが武志はあやまるだけだ。そして明日からは絶対に遅れないようにするから、母親にいったりしないでくれと頼むのだ。

グローブ事件が起きたのはその頃だった。グローブの持ち主はジロウという少年で、武志の家の近所に住んでいた。ジロウの家もあまり豊かではなく、彼にとってグローブは宝だった。

結局犯人はわからずうやむやになってしまい、また武志も遅刻しないようになったので、この頃のことは自然に八木の記憶から消えていった。

八木が事件の真相を知ったのは最近のことだ。マモルという、その時のチームメイトの一人が話してくれたのだ。

じつは当時武志は、練習前に新聞配達のアルバイトをしていたのだ。苦しい家計を少しでも助けようと考えたのかもしれない。そしてこれが遅刻の原因だった。つまり朝刊が新聞屋に届く時刻は決まっているので、武志がいくら早起きしても無駄なのだ。

　このことを知っていた少年が一人だけいた。それがジロウだった。彼は武志が配達しているところを何度も目撃したらしいのだ。

　武志はジロウにいった。

「誰にもいうなよ、約束だぞ」

　武志は人気者ではなかったが、チーム内での力は絶対的だった。誰にもいわない、とジロウは約束した。

　ところが武志の遅刻が頻発した。監督はそのことで武志を叱る。ジロウは次第に、真実を黙っているのが辛くなってきた。それでつい友人のマモルにしゃべってしまった。ここでマモルが黙っていればよかったのだが、武志にたしかめたのだ。

「須田、おまえ新聞配達してるんだって？」

　武志は驚いたようすだったが、すぐに険しい目つきに戻った。

「誰から聞いたんだ？」

「ジロウだよ」

　ふうん、と武志は頷いた。それからマモルを睨みつけると、

「誰にもいうなよ」

　と釘を刺した。

グローブ事件があったのはその直後だった。当然ジロウやマモルには犯人がわかっていた。だがそれを口に出せない弱みがジロウにはあったし、マモルも同じ目に遭ってはかなわないと思って黙っていることにした。

「結局二人とも須田君が怖かったのですよ」

話の内容に反して、八木は当時を懐かしむような目をした。

「どうして彼は新聞配達をしていることを秘密にしたのでしょう?」

高間が尋ねた。

「おそらく、そのことで同情されるのが嫌だったのでしょうね。あの子はそういう子供でしたから」

どうやらそうらしいな、と高間も納得した。

「そのうちに須田君は遅刻しなくなったということでしたが、新聞配達はどうなったのですか?」

「別にどうにもなりません」と八木は答えた。「配達の時により速く走ることで、練習に遅れなくなったのだそうです」

「なるほど……」

そうなのだ、と高間は思った。須田武志ならば、そういう方法で解決するはずなのだ。

高間は八木に礼をいうと、子供たちの体操の掛け声を聞きながらグラウンドをあとにした。

約束

1

このあたりは全然変わらないな――列車の窓から外の景色を眺め、男は小さく呟いた。視界いっぱいに広がる田畑のところどころにビニールハウスが並び、不規則な間隔で案山子《かかし》が配置されていた。そして時折、薬や電化製品の巨大な看板がこちらを向いて立っている。列車が駅に近づくと民家が増え、駅を出発してしばらく走ると、また広大な田畑が続いた。

――何年ぶりかな？

頭の中で計算してみた。三年は優に経っている。四年か五年か……六年かもしれない。そうだ五年だ。一番威勢のいい時に帰ったんだ。凱旋気分で――。

洋子はどうしてるかな。相変わらず、あのしけた菓子屋で店員をしているんだろうか。まさかな。あいつも二十四になるはずだ。二十五だっけ？　早いとこ、嫁に行かないとな。いい相手いるのかな。お袋がああいう性格だからな、のんびりしてやがるんだろうな。いや、洋子の方がお袋に気遣って、出ていきにくいのかもしれない。お袋のことは俺が面倒みるっていってやらなきゃな。大丈夫さ。こんな身体だって、お袋の一人ぐらい何とかしてやる——。

だけどちょっと敷居が高いな、と男は思った。手紙には、あまりくわしい事情は書かなかった。とにかく帰ると書いただけだ。細かいことは、会ってから、ゆっくり話すつもりだった。

トンネルをいくつか抜けると、次第に見覚えのある風景が増えてきた。何も変わっていない。そのことが彼を安心させた。

車内アナウンスが駅名を告げた。十数年間聞き馴染んだ駅名だ。何年か前、彼はこの駅から出発したのだった。

ホームに降りて改札口を抜ける時、彼は何だか胸がどきどきした。妹か母親が迎えに来てくれているはずだった。

彼は片足をひきずりながら改札口を通った。頰を少しぴくつかせて回りを見渡してみる。だが駅の待合所には見知った顔はなかった。妹も母親もいない。背広姿の男が二人、煙草をふかしているだけだった。

——どうしたんだ、誰も来ないなんて……

彼は売店の公衆電話を見つけると、杖をつきながら歩み寄った。そこからは駅前商店街が見える。懐かしいはずの風景だが、妙に空々しく感じた。

公衆電話の受話器を取り上げ、十円玉を入れる。ダイヤルを回していると、ふいに手元が暗くなった。彼は手を止めて顔を上げた。さっきまで待合所の長椅子に座っていた背広姿の男たちが、彼を挟むようにして立っていた。

「何ですか、あんたたちは？」と彼はいった。

「芦原さんですね？」

右側の男が、表情の乏しい顔つきでいった。そして背広の内ポケットから、黒い手帳を覗かせた。

「芦原誠一さんですね」

男はもう一度いった。「御同行願えますか」

「あ」

彼は受話器を持ったまま、声を漏らした。

忘れものを思いだしたような気がした。

2

芦原が見つかったという知らせが入った日、上原は早速和歌山に向かった。芦原は帰郷することを手紙で実家に知らせたらしいのだが、その手紙が実家周辺を張り込み中の刑事に見つかったのだ。

芦原が爆弾事件の主犯であることはほぼ確実だった。例のアパートに残されていた段ボールを調べた結果、中に入っていた木板や釘は、自動発火装置を構成していた部品と同一だと判明したのだ。

高間は一刻も早く芦原に会いたかったが、とりあえずは爆弾事件を解決するのが先決だし、まずは須田武志との関係を上原が訊きだしてくれればと待機していた。

この日の夜、上原から第一報が入った。高間は受話器に飛びついた。

「芦原は犯行を認めました」と彼はいった。

「やはり。で、共犯は？」

「それが……」

上原の声はどこか冴えなかった。犯人を逮捕したというのに、物足りないようすだ。

「どうかしたのかい？」

「それが、芦原は共犯者などいないと主張するんです。全部自分一人でやったことだと」

共犯はいない？——高間は受話器を握る手に力をこめた。

「須田のことは訊いたのか？」

「ええ。ところが、須田武志なんて関係ない。話したこともないというんです」

「何だって？」

「とにかく、すぐに連行して帰ります」

上原の口調は最後まで意気が上がらなかった。

——須田武志とは話したこともないだと？

そんなはずはないと高間は思った。芦原の周辺を探ってみると、あらゆるところに武志の姿が見え隠れするのだ。石崎神社の片足の男は、芦原以外には考えられない――。

翌日、高間は上原と一緒に、取調べ室で芦原と向かい合った。彼は紺の上着にワイシャツを着て、きちんとネクタイを締めていた。故郷に帰るために、精一杯身だしなみを整えたのかもしれない。やや童顔で、野球から遠ざかっているせいか、それほど色は黒くなかった。

芦原は高間の顔を見ると、軽く頭を下げた。悪びれたようすはない。開き直っているようであり、また犯行を自供してすっきりしているようにも見えた。

「須田武志君を知っているだろう？」

自己紹介のあとで高間は訊いた。芦原はゆっくりと瞬《まばた》きを一度したのち、

「須田なら知ってますよ」といった。「有名人だから」

「個人的には？」

芦原は軽く瞼を閉じると、二度三度と首をふった。

「おかしいな」と高間はボールペンを掌の中で弄びながら彼を見た。「石崎神社で、君らしき人物と須田武志君が野球の練習をしていたところを目撃した人がいる」

「俺らしき人物でしょ？　俺と決まったわけじゃない」

芦原は平然としている。

「アシ・ボールというのがあったそうだね？」

高間はいってみた。「ゆらゆらと揺れて落ちる球だったそうじゃないか」

「忘れたな」と芦原は少し目線を外した。「大昔の話ですよ」

「須田君に教えただろう?」

するとと芦原はこれには答えず、頭をぽりぽりと掻いた後、ふうーっと大きく息を吐き出した。

「わからないな。俺を捕まえたのは、例の爆弾事件の犯人としてでしょ? 須田なんて、全然関係ない」

「須田は死んだよ。殺されたんだ」

「知ってますよ。それがどういう――」

いいかけて芦原は口を閉じ、まじまじと高間の顔を見返してから頷いた。「そうか、俺が疑われてるってことですか。別件逮捕ってやつですね」

「爆弾事件と開陽高生殺人事件は関連があると見ている。だから別件じゃない」

「どういう関連があるっていうんですか?」

「爆弾を仕掛けたのは武志だ。あんたから変化球を教わるのと引き換えに、その仕事を引き受けたんだ。違うか?」

芦原は唇の端を歪め、声を出さずに笑った。そしていった。

「あの事件は俺一人がやったことです。誰にも手伝ってもらってない。須田武志なんて、何の関係もない」

取調べ室から出たあと、高間は上原から、芦原の供述内容について聞いた。それは以下の通りだ。

『あの日私は、以前勤務していた頃の職服を着用し、鞄にダイナマイトで作った時限爆弾を入れて東西電機にもぐりこみました。爆弾を仕掛ける場所については予め、三階の便所と決めておりました。タイミングは、始業のベルが鳴った直後です。あの時が最も人気《ひとけ》が少なくなるということを知っていたからでした。便所の一番奥の小部屋に鞄を置き、「故障」とはり紙をしました。あとは時限装置に用いたドライアイスが溶けるまでの間に、出来るだけ遠くに逃げればいいのです。しかし私は逃げる途中、突然激しい恐怖心に襲われました。自分が仕掛けた爆弾で大勢の人間が死ぬということが、どうしようもなく怖くなったのです。もはや犯行を継続することは不可能でした。気づいた時には、また便所に戻っていました。幸い人影はなく、小部屋に入ると、爆弾の時限装置を止めました。具体的には、ドライアイスの代わりにボロ布を挟んでおいたのです。鞄をそのまま持ってでることはできませんでした。怪しまれて、中身を見られたら大変だからです。それに、爆弾を仕掛けられたという恐怖ぐらいは、あの安全調査部の連中に味わってもらおうとも思いました。

　職服を着たまま東西電機本社を出ると、駅前まで行き、職服をゴミ箱に捨てて帰りました。

　犯行の動機ですが、それは安全調査部の連中、特に西脇部長に復讐したかったからです。私は彼等の怠慢のために事故に遭い、その結果片足を悪くしたというのに、事故は私のミスであるとでっちあげられたのです。

　じつはその時にも私は復讐を考えました。唯一の生きがいであった野球もできなくなった私は、どうせなら彼等を道づれに死んでやろうと思ったのです。私は中学時代の友人のことを思いだしました。その友人はこちらの大学で工業化学科の助手をしているのですが、一度大学に会いに行った時に実験用火薬庫を見せてもらったことがあるのです。私は夜中になるのを待って大学に入ると、窓ガラスを割って友人の研究室に忍びこみました。といっても片足の不自由な身ですから、かなり大変ではありました。火薬庫の鍵がダイヤル錠付きの戸棚に入っていることも、その錠の番号が戸棚の背に書いてあることも知っていましたので、鍵は簡単に盗みだすことができました。私は火薬庫から適当な数のダイナマイトと電気雷管を盗みだすと、鍵を返すついでに室内を荒らしておきました。学校荒らしに見せかけるためです。

しかし結局私はそのダイナマイトを使いませんでした。冷静に考えるうちに、あんな連中のために死ぬなんてことは馬鹿馬鹿しいという気になったのです。ダイナマイトは、私の所帯道具の一番奥にしまわれたままになりました。

それからしばらくは辛い日々が続きました。仕事を探すのもひと苦労でした。しかし去年の秋、私は新たな生きがいを見つけました。昭和町の子供たちを中心にした少年野球チームのコーチをさせてもらえることになったのです。私はこれを、自分が野球に関われる最後のチャンスだと思い、懸命に務めました。

私にとって久々の充実した日々でした。白球を握れるというだけで、胸の中から熱いものがこみあげ、叫びたくなるような気分でした。子供たちも実によくなついてくれました。

しかしそれも長くは続きませんでした。父兄たちが私を追い出そうとしたのです。定職を持たないような人間に子供を任せるわけにはいかない、というのがその理由だそうです。悪いことに、一番私を嫌っているのが父兄の中でもリーダー的立場の人で、他の父兄も賛同する人が増えてしまったのです。八木監督が弁護してくださいましたが、私は辞めざるをえなくなりました。私が爆破計画を思いついたのはこの直後でした。この、私を辞めさせたリーダー格の人間こそ、あの東西電機安全調査部の西脇部長だったのです』

「そういうことか」

高間は冷めた茶を一気に飲みほしていった。「復讐心からだとは思ったが、なぜ今頃になって、という疑問があったんだ。これでわかった。しかし、あの父兄のリーダーがね……因縁だな」

「因縁です」と上原はいった。「考えてみればかわいそうな男です」

「この供述に矛盾はないのかな?」

「決定的な矛盾はありません。爆弾の入手など、我々が調べた通りです。ただ、やや疑わしい点はあります」

「というと?」

「まずドライアイスです。この供述によると、芦原はいったんはドライアイスを仕掛けたことになっています。ではそのドライアイスをどこで買ったか? これが不明瞭です。本人は駅前商店街の菓子屋で、アイスクリームを買ったついでに貰ったといっていますが、菓子屋の店員はそんな早い時間に買いに来た客はいないと証言しています」

「それは面白い話だな」と高間はいった。

「次に芦原自身が三階の便所まで行ったという話です。もし本当にそうしたのなら、彼は三階が資材部に変わっていることに気づいたはずです。本人は、見逃しただけだといってますがね。それにやはり片足をひきずっていれば目立ちますよ」

高間は唸った。「ますます共犯のいる可能性が強くなってきたな」

「強いです」と上原は自信のある口ぶりでいった。「問題はなぜそれを芦原が隠しているかです。共犯が須田武志で、しかも芦原が武志を殺したのだとすると、それがばれるのを恐れて黙っているということも考えられますが」

「それは充分考えられるが……」

たしかに芦原は怪しかった。彼が犯人であり、それを示唆《しさ》するために武志が、『マキュウ』の文字を書き残したと考えられなくもない。だがそれならばなぜ、『アシハラ』とはっきり書かなかったのかという疑問が残る。それにやはり、武志自身があのメッセージを書いたとは考えにくかった。また芦原が犯人であるなら、自分を示唆するようなものを書くわけがない。

「ところで、中条社長誘拐の件についてはどういってるんだ?」

「それについては、自分は全く知らないことだと主張しています。爆弾騒ぎを新聞で知った人間が、それを利用して儲けてやろうとしたんじゃないかといっています」

「ふうん」

高間は不精髭《ぶしょうひげ》の残る顎をこすった。たしかにそういう可能性がないこともない。こういう事件では便乗脅迫ということはよくあるものなのだ。

「でも嘘ですね」と上原はいった。「中条社長に届けられた脅迫状は、間違いなく爆弾事件の犯行者が書いたものです。時限装置の略図が添えられていたんですが、報道されていない細かい数字まで、ぴったりと一致していました。芦原は知らないの一点ばりですが」

「芦原はなぜとぼけるのだ？　何か嘘をつく必要があるのか……」

「あるいは本当に知らないか、ですね」

上原の言葉に、高間は眉をぴくつかせた。

「その可能性もあるわけだ。芦原は本当に知らない。中条社長を誘拐しようとしたのは、共犯者が勝手にやったことだった──」

「するとやはり武志は共犯ではないですね。中条社長は、誘拐犯の方は太った中年だといってましたから。芦原が殺人犯かどうかはともかく、武志は爆弾事件とは無関係と考えるのが妥当じゃないですか？」

そうなのだろうか、と高間は首を傾げた。芦原は自分のまわりから二人の人影を消そうとしている。一人は爆弾事件の共犯者であり、もう一人は須田武志だ。この場合、この二人は同一人物と考えるのが正解ではないだろうか？　だが中条社長が見た人物が須田武志でないことは明白だ。

──わからんな
高間は自分のこめかみを、拳で二度三度と叩いた。

3

田島恭平は散々迷ったあげく、須田勇樹を誘うことにした。彼にも聞かせておきたい話だったし、自分一人だけでこそこそやるのは気がひけたのだ。

放課後、学校の正門で田島は勇樹を待った。生徒たちが三々五々に帰っていく。彼等の表情は楽しそうで、もはや野球部の二人が死んだことなど、とうに忘れてしまっているみたいだった。

やがて勇樹が自転車を押しながら通りかかった。田島が呼びとめると、彼は少し意外そうな顔をした。野球部ということで顔は知っているが、親しくしたことはなかったからだろう。

「今から刑事に会うんだ」

田島はいった。それで勇樹は驚いたように小さく口を開いた。

「重大な話があってね、それを高間さんという人に話しに行くんだ。須田のことだよ。須田と魔球のこと」

「何か知ってるんですか？」と勇樹は訊いた。

「知ってるとまではいえないけれど、気づいたことがあるんだ。黙ってるには、ちょっと重大なことだから……。それで君も一緒にどうかなと思ってね」

「そうですか……」

勇樹は顔をそらせ、門を出ていく生徒たちの流れに目を向けていた。何か考えているようだった。

「行ってみようかな」と彼は呟いた。「僕も魔球の話は聞きたいし」

「決まった。じゃあ駅に行こう」

田島と勇樹は、自転車にまたがった。

田島は、高間刑事とは昭和駅の前で会う約束をしていた。昼休みに森川に頼んで電話してもらったのだ。勇樹と二人で佇《たたず》んでいると、後ろから肩を叩かれた。

「二人が一緒とは珍しいね」

高間刑事は白い歯を見せた。田島は、勇樹にも自分の話を聞いてもらいたかったのだと説明した。

「じゃあどこかでゆっくりと話を伺うとしよう。君たち腹はへってないのかい?」

すぐには答えず田島は勇樹と顔を見合わせた。すると高間は、「よし」と察したように頷き、近くにあったラーメン屋の暖簾《のれん》に向かって歩きだした。

時間が中途半端なせいかラーメン屋はすいていた。カウンターがあって、奥に四人がけのテーブルがある。高間がためらいなく奥に進んだので、田島たちも後に続いた。

女店員が注文をとりにきた。三人ともラーメンを求めたが、高間は、「この二人は大盛りにしてやってくれ」と付け足した。

「君の話はラーメンを食べてから聞こう」

そういって高間は煙草を取り出した。そして火をつけたあと、「森川先生や手塚先生は元気にしているかい？」と軽い調子で訊いてきた。

「えっ？　ああ……」

田島が思わず隣を見ると、勇樹と目が合った。今日学校で、ちょっとしたことが発表されたのだ。

「どうかしたのかい？」

煙草を指の間に挟んだまま、高間は尋ねてきた。煙草の先から白い煙が、すうーっと天井まで伸びた。

「じつは」と田島は唇を舐めた。「手塚先生は、しばらく休職されるらしいんです」

「えっ？」と刑事は眉を寄せた。「どういうことだい？」

「わかりません。とにかく、最近は休みが多かったんです」

そのはり紙は、今朝職員室横の掲示板に出されたのだ。手塚教諭は、一身上の都合によりしばらく休職されます――。

どういうことかはわからなかった。噂によると、森川とのことが問題になったので、開陽高校にはいられなくなったのだということだが。

この日の昼休み、高間に連絡をつけてもらうために田島は森川の席に行った。森川は明らかに何か考えこんでいるようすだった。田島が声をかけても、すぐには返事しなかったほどだ。

「ふうん、それは大変だね」

話を聞いた高間は、ゆっくりと煙草を吸いながら、どこか遠くを見るような目をした。

ラーメンが運ばれてきて、三人は割り箸に手を伸ばした。大盛りラーメンを啜りながら田島は、例の話の方はいったいどういって切り出せばいいだろうと考えていた。

4

田島たちと別れたあと、高間はゆっくりとした歩調で夕暮れの町を歩いた。頭の中では混沌とした様々なものが、洗濯機の中みたいにぐるぐると回っていた。その回転が速すぎて、今のところ高間には把握しきれていない。

――二十三日、中条社長の誘拐騒ぎがあった。そして翌二十四日の夜には、武志が殺された。そして、今の田島の話……

まだある。東西電機で聞いた話、少年野球でのこと――何もかもが、彼の頭の中を駆けめぐっている。

高間は事件の真相に関して、ぼんやりとした形を描きつつあった。だがそれは妙に歪んでいて、きちんとした図形をなさなかった。その原因ははっきりしている。芦原の供述が曖昧だからだ。

――芦原は明らかに嘘をついている。ではどのように嘘をついてるのか？

この点になると高間の思考は乱れた。芦原の嘘をどのように都合よく設定しても、すっきりした説明をつけられないのだ。

高間はさらに夜の道を歩いた。気がつくと電気屋の前に来ていた。新製品のテレビの前に人が集まっている。そのテレビを何気なく眺めて、高間も足を止めた。画面に興味を持ったのではない。それが東西電機の製品だったからだ。

資本金、売上……小野が見せてくれたパンフレットの内容が、おぼろげに蘇った。そして……。

――待てよ
高間の脳裏に、突然一つの考えが閃いた。その場を去りかけていた彼の足が、ぴたりと止まった。

それはあまりに突飛な考えだった。

今までの推理を完全に覆《くつがえ》すようなものだ。だが高間は、鼓動が次第に激しくなっていくのを感じた。それは突飛ではあったが、今までに高間が何気なく見聞きしてきたことと妙に符合するのだ。

「そうか……そういうことも考えるべきだった」

彼は赤電話を見つけると、思わず駆け寄っていた。そしてダイヤルを回す。本橋が電話に出た。

「大至急調べたいことがあるんです」と高間はいった。「全ての謎が解けるかもしれません」

「何を調べるんだ?」と本橋は訊いた。高間の気持ちが伝わったのか、彼の声も気負いこんだ響きを持っている。

「とんでもないことですよ」と高間はいった。「そして、とんでもない真相が見えてくるのかもしれません」

5

二人の刑事が訪ねてきたということを妻の紀美子が知らせに来た時、中条はもはや隠しとおすことはできないと直感的に悟った。芦原という男が捕まった時点で、殆どあきらめていたといえる。

だが彼は特別あわてなかったし、落胆することもなかった。こういう日がいずれ来るだろうということは、もうずっと前からわかっていたことなのだ。だからいつもと変わらぬ口調で、応接間にお通ししなさいと紀美子に命じることができた。

中条が身なりを整えて応接間に行くと、二人の刑事は同時に立ち上がって、突然の訪問を詫びた。上原という刑事の顔は知っていたが、もう一人の方は知らなかった。その男が素早く出した名刺によると、捜査一課の高間という刑事のようだった。

「じつは重大なお話があって、お邪魔したのです」

高間の方が改まった口調で切りだした。その表情から、やはり――と中条は覚悟した。

ノックの音がして紀美子が茶を持ってきた。刑事の訪問ということで、彼女は心配そうだった。だが彼女を同席させるわけにはいかなかった。

「君は席をはずしていなさい」

中条がいうと、彼女は少し不満そうだったが、それでも頷いて部屋を出ていった。前社長の娘だが、それを鼻にかけたりせず、中条をじつによく立ててくれる。

「よろしいですか？」

紀美子の足音が遠ざかってから高間が尋ねた。「どうぞ」と中条は答えた。

高間は一度大きく息をつき、それからじっと中条の目を見ていった。

「須田武志……という少年を御存知ですね？」

中条は黙っていた。何といい返すべきか、わからなかったのだ。

「あなたを誘拐しようとした人間ですよ。違いますか？」

「私は」と中条は口を開いた。声がかすれた。「中年の、太った男だといったはずだ」

「知っています」

高間は冷静な声でいった。自信に満ちた目を向けてくる。「しかしそれは中条さんの嘘なんです。本当は、締まった身体つきの若者――須田武志でした」

そして、と彼は続けた。

「そして、彼はあなたの実の息子さんでした」

数秒間沈黙が流れた。中条は高間を見て、高間もまた彼を見返していた。蛍光灯のブーンという音が、今日は馬鹿に大きく感じられた。

「芦原の共犯は須田武志君です。彼以外には考えられない。しかしあなたは、犯人は太った中年の男だったという。この食い違いに我々は悩みました。だがこの矛盾も、あなたが嘘をついているとすれば簡単に解決するわけです。ではなぜあなたは嘘をつく必要があったか？」

高間は淀みなくしゃべると、反応を窺うような目を中条に向けてきた。中条は顔をそらし、テーブルの上に視線を落とした。

「その前にもう一つ疑問があります」と高間は続けた。「なぜ須田武志君はあなたに脅迫状を出し、あなたを呼び出したのか、ということです。金が欲しかったのでないことは明白です。彼は個人的にあなたに会う必要があった。そしてあなたはそのことを、隠そうとしている。そこまで考えた時、突拍子のない仮説を思いついたんです。同時に、東西電機のパンフレットに載っていたあなたの写真が思いだされました」

中条は顔を上げた。その顔を見て高間は、

「須田武志君は、あなたに似ていました」

と静かにいった。「私は自分の突飛な仮説に自信を持ちました。そして失礼ですが、中条さんの経歴を調べさせていただきました。その結果、昭和二十年頃、あなたが須田武志君のじつの母親である明代さんと、同じ町内に住んでおられたことが判明しました」

ここで高間は言葉を切った。中条の反論を待ったのかもしれない。だが中条はいい返さなかった。

「答えてください」と高間はいった。「脅迫状を使ってあなたを呼びだしたのは、須田武志君ですね？」

中条は腕を組み、ゆっくりと瞼を閉じた。その裏にいくつかの映像がよぎった。

「条件がある」

目を閉じたまま彼がいうと、

「決して口外いたしません」と、気持ちを見越したように高間は即座に答えた。「秘密は厳守します。もちろん奥様にも」

中条は頷いた。頷いたが、永久に秘密にし続けることは、現実問題としては不可能だろうと思った。だからいずれは自分から妻の紀美子に話すつもりでいる。それまでの間、秘密にできればいいのだ。

中条は深いため息をつき、

「君のいうとおりだ」と答えた。「あの日私を呼びだしたのは、あの子だった。そして、あの子は私の息子だ」

「くわしく話していただけますか？」

「少々長くなるが」

「結構です」

高間と上原の二人は頭を下げ、真剣なまなざしを向けてきた。中条はまた瞼を閉じた。

戦時中、中条は東西産業島津市工場の工場長をしていた。ここの工場ではもともと鉄道車両用部品を作っていたが、軍の指令により航空機部品の製造を行っていた。

やがて終戦を迎える。島津市工場では、航空機部品ではなく、フライパンや鍋が作られるようになった。中条は東西産業再建のスタッフとして、阿川市の本社工場に呼ばれた。そこで彼は電気機器部門のリーダーである渡部茂夫の配下となった。住まいも島津市から阿川市に引っ越した。この時彼は三十七歳、独身で家族もいなかった。

この越した先で須田明代と出会った。

中条は彼女と結婚するつもりだったが、ひとつだけ厄介な問題があった。彼の上司である渡部が、娘の紀美子の夫として彼を迎えるつもりだったからだ。紀美子は当時二十八歳、夫はいたが、この戦争で亡くしたのだった。

今後のことを考えると、明代とのことをここで大っぴらにして、渡部の心証を悪くしたくなかった。しかも渡部には、いい尽くせないほど世話にもなっていた。中条が電気の最新技術を身につけられたのも、渡部の助力があったからなのだ。そこでしばらくは明代との仲を秘密にしておくことにした。彼のためならと、明代も承知してくれたのだ。

ところが予定外のことが起こった。明代が妊娠してしまったのだ。彼女の兄は執拗に相手の名前を追及したが、彼女は答えなかった。中条は彼女を、よその町に移らせることにした。このままでは、二人が会うことも難しくなると思ったからだ。

新しく移った町は、漁港の近くだった。明代が海のそばに住みたいといったからだ。

新しい家で、中条と明代は生活を始めた。といっても、中条は週に一度泊まっていくだけだ。二重生活をしていることは、人に知られてはならなかった。

子供が生まれると、とりあえず明代の戸籍に入れた。非嫡出子《ひちゃくしゅつし》というわけだ。無論、時期が来れば中条が認知するつもりだった。名前は武志とした。須田武志である。もしかしたら明代の兄が、何かの拍子に彼女の戸籍を調べることがあるかもしれなかったが、それでもいいと思っていた。

このような状態が三年ほど続いた。

東西産業電気機器製造部は、東西電機株式会社として分離独立することになり、その初代社長が渡部に決まった。当然中条もついていくことになった。

この新会社設立に伴う苦労は相当なものだったが、中条としては一生に一度あるかないかという大きな仕事だった。何しろ渡部の補佐役として、技術部門すべての管理を任されたのだ。中条は眠る暇もないほど働いた。当然明代のもとへ帰る回数は少なくなる。そこで彼は明代に、一年間だけ待っていてくれと頼んだ。新会社が安定すれば必ず迎えに来る、その時は一緒に暮らそう、それまで仕送りだけはきちんとするから――と。

この時点では、中条に彼女を騙そうという気はない。本気で一年間だけだと思っていたのだ。

ところが悩むべき問題が起きた。渡部から再び、紀美子と結婚してくれと頼まれたのだ。中条は困った。考えてみれば、まだ若い彼に渡部が別格の扱いをしているのも、娘の相手として見ているからに違いないのだ。

断る巧い理由が見つからなかった。巧い嘘というべきだろう。そして彼がはっきりと断らない以上、それは承諾の意思と解釈された。

中条は渡部紀美子と結婚し、明代と約束した一年が過ぎた。

何とか明代に会って謝らなければ——そう思ったが、いざ実行にうつすとなると気持ちがひるんだ。いったい何といって謝ればいいのだ。だいたい謝ってすむ問題でないことは自分が一番よく知っている。

そのうちに明代が会社を訪ねてくるかもしれなかった。その時に何と釈明すればいいのか？それを考えると心が重くなった。

だが結局彼が明代と会うことはなかった。彼女が会社まで訪ねてきたかどうかも不明だった。見知らぬ女が突然、取締役に会わせろといって来ても、受付で追いかえすだろう。

そうして長い年月が過ぎた。だが彼が明代のことを忘れることはなかった。息子のことも頭から離れなかった。紀美子との間に子供ができなかったので、余計その子のことが気になった。

何年かあとになって、明代たちのようすをたしかめようとしたことがある。だがその時すでに彼女らは、あの漁村にはいなかった。

もはやどうすることもできなかった。彼自身がそういう道を選んだのだ。

「高校野球を御覧になることは？」

高間が訊いた。

「よく見るよ。この地域からは開陽高校が出て、そこの投手が須田という名字だということも知っていた。しかしあの子があの武志だとは……テレビを見ている時は夢にも思わなかった」

「すると知ったのは？」

「うん」と中条健一は頷いた。「初めて会った時だ」


脅迫状を受け取り、指定された場所に行くまで、中条は爆弾事件の犯人が脅しているにすぎないと思っていた。いや、喫茶店に電話がかかってきた時点でも、まだそういう考えだった。だから二度目の赤電話の声を聞いた時には、心臓が止まりそうな衝撃を覚えたのだ。

「中条健一さんだね」と相手はいった。

「何者だ？」

彼が訊くと、相手は少しの間黙っていた。それから落ち着き払った声でいった。

「須田武志だ」

今度は中条が黙る番だった。というより声が出せなかったといった方が適切だ。全身から汗が吹き出るような感じがし、身震いがした。

「たけ……し？　まさか……」

彼の声も震えた。その反応を楽しむようなひと呼吸があって、相手はいった。

「今から俺のいうとおりにするんだ。まず、金の入った鞄はバス停の横に置き、あんたはその後ろの本屋に入るんだ。本屋には裏口があるから、そこから素早く出るんだ。出たら、すぐに左に進んで踏切を渡る。真仙寺行きのバスが待っているからそれに乗り、終点で降りるんだ。わかったな」

そうして電話は切れた。警察にはいうな、とはいわなかった。そんな必要がないとわかっているからだろう。

いわれた通りにしてバスに乗りこんだ。刑事たちは鞄の方に神経がいっているので、彼が行方不明になるとは考えもしなかったのだろう、尾行はないようだった。

バスは結構混んでいたが、終点まで乗っていたのは数人だった。その中に武志らしき姿はなかった。

真仙寺で降りると、中条はあたりを見回した。道は急な坂になっていて、その道の両側は深い松林だった。バスの発着所と反対側の奥に、真仙寺の屋根が見える。その手前は墓地のようだった。空気はひんやりとしていて、中条は寒気さえ覚えた。

終点で降りろ、というのが指示だったが、それから先は不明だった。しかたなく彼はそこで佇んでいた。発着所の詰め所では、運転手たちがたむろしている。時折彼等は不審気な目を中条に向けた。

しばらくそうしていると、坂道の下の方から走ってくる若者がいた。トレパンにトレーニングシャツ、野球帽という格好だった。こんなところでランニングをしている者もいるのだなと見ていると、若者は中条の前で止まった。

「少し遅すぎたかな」と彼は顔を上げた。

「君は……」

この時初めて中条は、あの甲子園の須田が、あの武志だということを知った。驚きのあまり、言葉が見つからなかった。どんな顔をしていいのかもわからなかった。

「挨拶はいいよ」と武志は平然といった。「じゃ、行こう」

「行くって？」

「来ればわかるよ」

武志は道路を渡り、松林の中の小道に入っていった。中条は後を追った。

黙々と武志は歩いた。かなり早足だ。中条はそれについていくのも大変だったが、黙り続けているのも辛かった。

「君はどこから来たんだ？」と彼は訊いてみた。「坂の下から走ってきたみたいだけど」

「四つ前のバス停からさ」と武志は何でもないことのように答えた。「同じバスに乗ってたんだよ。あんたは気づかなかったみたいだけどさ」

「じゃあ、そこから走って？」

あの距離と坂の勾配を中条は思い浮かべた。

「別に驚くほどのことじゃない」

相変わらず、平然と武志はいった。

どんどん歩いていく武志の後ろ姿を眺めながら、中条は不思議な感慨にふけっていた。あの武志がこれほどに成長している。もう一生会うこともないと思っていた息子が、今は目の前にいるのだ。彼に駆けより、抱きしめたい衝動にかられたが、それはできなかった。それをさせない何かが、武志の背中にはあった。

「爆弾は君が仕掛けたのか？」

重苦しさから逃れるように、中条は質問してみた。

「まあそうだよ」と武志は足を止めることなく答えた。「あんたの会社を恨んでる人がいてさ、その人に頼まれてやったんだ。今日のことはその人は知らない。俺が勝手にやってるだけだ」

「なぜ脅迫状なんか使ったんだ？　普通の手紙でも会いに来たのに」

すると武志は突然足を止め、中条を振り返ると頬の肉を歪めた。

「あんたのことなんか信用できるわけないじゃないか」

そしてまた歩きだした。中条は鉛を飲まされたような重い気持ちになりながら、また彼のあとを追った。

武志は墓地の中を進んでいった。馴れた足取りだ。彼が自分をどこに連れていこうとしているのか、中条にもわかりかけてきた。

武志は墓地の殆ど一番奥で足を止めた。小さな木の墓が立っている前だ。中条も足を止め、墓を見下ろした。

「これが……」

やはり、と中条は思った。

特に根拠があるわけではないが、明代はもうこの世にはいないのではないかという予感は、ずっと中条の気持ちの中にあったのだ。

「隣は親父だ」

明代の墓の隣に、もう一つ同じような墓が立っている。それを指差して武志はいった。

「おとうさん……じゃあ明代さんは再婚されたのか」

それならば救いがあると思ったが、

「馬鹿いうなよ」

と一言で退けられた。「須田正樹、明代の兄貴だよ。親父は俺たち親子を引き取ってくれたんだ。病気の母親と、俺の二人を」

「……そうだったのか」

「引き取られて、すぐに母親は死んだ」

「病気は何だったのかな？」

「病気は関係ない。自殺したんだ。手首を切ってな」

ずきんと心臓が痛んだ。冷汗が出て呼吸が乱れた。立っているのが苦痛になり、その場で膝をついた。

「母親は俺に、竹で作った人形と、竹細工の道具と、それから小さな御守りを残してくれた。中学の時、御守りの中に紙が入っているのを見つけた。そこには、俺の父親は東西電機の中条という人だと書いてあった。わかるかい？　あの人は、あんたが自分を裏切って、よその女と一緒になったことを知ってたんだ。だけど、あんたの名前は誰にもいわなかった。あんたに迷惑がかかっちゃいけないと思ったんだ」

中条は首をうなだれた。返す言葉などなかった。辛うじて、「すまなかった」と呟いたが、ひどくかすれた声になった。

「すまなかった……だって？」

武志は中条の前に来ると、彼の背広の襟をぐいと引っ張った。ものすごい力だった。武志に引っ張られ、中条は明代の墓の前までよろよろと進んだ。

「何いってんだ、そんな言葉がいったい何になるっていうんだ？」

武志に突き放され、中条はジャリ道の上に尻もちをついた。

「俺が母親のことではっきり覚えてることを教えてやろう。それはな、手を引かれて駅に行ったことだ。あの人はあんたとの約束を信じて、あんたが帰ってくるのをずっと待ってたんだ。お父さんは土曜日に帰ってくるはずだ――そういってあの人は俺を連れて、毎週土曜日になると駅に行ったんだ。そうして待った。夕方から最終までだ。毎週だぞ。寒かろうが、暑かろうがおかまいなしだ。俺たちがどれほどあんたを待っていたか、あんたにわかるかい？」

中条は座り直し、両膝の上で拳を固く握りしめた。このまま武志に殺されてもしかたがない、とさえ思った。

「いつかは、あんたをここに連れてくるつもりだった」

少し静かな口調になって武志はいった。「この人はずっとあんたを待ってたんだ。ようやく望みをかなえてやれた」

そして武志は中条の後ろに回り、彼の背中をぐいと押した。「さあ、何度でもあやまりな。本当は、死ぬまでそこで詫び続けてもらいたいぐらいだ」

中条は墓の前で手を合わせた。罪悪感と後悔が洪水のようにおしよせてきていた。自分が犯した罪の重さに気が遠くなるようだった。死ぬまでここで詫び続ける——できるならそうしたいと思った。

「いっておくが、あんたが苦しめたのは、その人だけじゃない」

中条の後ろに立って、武志がいった。「俺たちを引き取った親父も、死ぬまで苦労していた。いや、一番苦しい目に遭ったのは今のお袋だ。縁もゆかりもないあんたのために、一生を棒に振ったんだぜ」

「何か……何か私に出来ることはないだろうか？」

「今さら遅いよ」

武志は冷たくいい放った。

「遅いことはわかっている。しかし、このままだと私の気が済まないんだ」

「あんたの気が済もうが済むまいが関係ない。だいたいそんなことで済まされちゃ困るんだ」

「…………」

「だけど」と武志はいった。「要求がないわけじゃない」

中条は顔を上げた。「何でもいってくれ」

「まずひとつは、これで俺たちのことは忘れてもらいたいということだ。あんたには捨てた女なんていないし、当然隠し子もいない。須田武志とは何の関係もない」

「しかし……」

「問答無用だ。あんたには何も要求する権利なんてない。そうだろ？」

中条は黙りこんだ。そのとおりだった。

「もうひとつは金だ。手切れ金をもらいたい」

「いくらかね？」

「十万円だ」

「十万円？」

中条は訊き直した。「金なら何とでもなる。いくらでも要求してもらって結構だが」

「十万円でいいんだよ。俺たちにはそれでも大金なんだ」

武志は靴の先で、ジャリ道を二、三度蹴った。「十万円は、うちのお袋に支払ってもらいたい。やり方は自由だが、あんたの名前が絡んでくるのはよくない。お袋が納得して受け取るような方法を考えてくれ」

「君に渡してはいかんのかね？」と中条は訊いた。

「俺がそんな金を貰って、いったいどういってお袋に渡せばいいんだ？　拾ったとでもいうのかい？」

「……そうか。わかった、いうとおりにしよう。ほかに要求は？」

「ほかにはない。これだけだ。あんたはまた、優秀な社長、良き旦那に戻って生活すればいい」

そういうと武志は歩きだした。さっき来た道を戻っていくのだ。中条はあわてて、「待ってくれ」と叫んでいた。

「もう……会えないのか？」と彼は訊いた。

するとと武志は振り返らずに、

「約束したはずだぜ」

と答えた。「俺たちとあんたとは何の関係もない。何の関係もない者が、どうして会ったりするんだ？」

「………」

「ついでにいっておくが、あんたがここに来るのも今日が最後だ。知らない人間の墓参りなんておかしいからな。いいな、約束だぜ。あんたは前に一度約束を破っている。この約束は何が何でも守ってもらうからな」

そして彼は再び歩きだした。中条は、「武志」と一度だけ呼んでみた。だが彼は立ち止まらなかった。ジャリ道を踏む音が、次第に遠ざかっていった。

6

話を終えたあとも、中条はまだ涙が止まらなかった。何に対する涙なのか自分でもわからなかった。

「それから二日後、あの子が殺されたことを知った。驚いた。信じられなかった。たとえ会うことはできなくても、陰から見守っていこうと決心した矢先のことだった」

武志の死が自分と関係しているのかどうか、それが一番の気がかりだった。殺される直前に会いに来た――その意味を考えた。

「あなたと会ったのは、彼が死を覚悟したからです」と高間はいった。

「すると武志は、殺されることを承知でその犯人と会うことにして、その前に私に会いにきたということか？」

高間刑事はしばらく考えていたようだが、やがてこっくりと首を折った。「そういうことになります」

「なぜそんなことを……」

「複雑な事情があるんです」と高間はいった。「とても複雑な事情です。今ここでお話しすることはできませんが」

「犯人はわかっているのかね？」

高間の目が一瞬だけ不自然に動き、それから彼は頷いた。

「ええ、わかっております」

「そうか」

中条は自分がすべきことを考えた。武志のために何かしてやれればと思ったのだが、思いつかなかった。高間がいう、『複雑な事情』というものがどういうものなのか、見当もつかなかった。

つまり武志はそういう世界を生きてきたということなのだ。

「そうか。では、一刻も早く捕まえて……出来れば早々に連絡をいただきたい」

それだけいうのが精一杯だった。

「葬儀の夜、須田家に現れた謎の人物というのはあなたですね？」

高間刑事の方が訊いた。

「そうだ」と中条はいった。「武志と約束したのは十万円だったが……」

「須田家では十万円を必要としていたんです」

借金の関係でね、と高間がいった。

刑事たちが辞去しようとした時、ふと思いつくことがあって中条は彼等を呼び止めた。そして書斎に行って、それを取ってきた。

「私と明代が暮らしていた頃の写真だよ。何かの参考になればと思うが」

中条は写真を高間に渡した。そこには竹細工をしている明代と中条の姿が写っている。背後で寝かされている赤ん坊が武志だ。

「ほう」

高間と上原は珍しいものでも見るような顔つきだった。特に参考にはならないかと中条が思った時、高間があっと声を上げた。

「どうしました？」と上原が高間に訊いた。高間は写真を指差し、「これだ」というと、上原も驚いたような顔をした。

「その写真が何か？」

中条は不安になった。自分が何か厄介な問題でも提出したような気になった。

彼の質問には答えずに高間は、

「この写真、お借りしてよろしいですか？」

と尋ねてきた。もちろんかまわないが、と中条は答えた。

「ではしばらくお借りします」

刑事たちは腰を上げると、足早に玄関に向かった。中条はわけがわからなかった。

「その写真が役に立つのかね？」

最後にもう一度彼は訊いてみた。ここで高間は彼の顔を見返し、「ええ、おそらく」といった。

「そうか、それはよかった」

「中条さん」

やや固い表情を高間は見せた。そしていった。

「あなたが犯した罪は、やはり深かったと思いますよ」

中条が凍りついたように立ち尽くしている間に、刑事たちは去っていった。

右腕

1

「中条社長が認めたよ。脅迫状の主は須田武志だとね」

取調べ室に連れてこられ、二人の刑事と向かい合った途端、一方の刑事——高間から告げられた。芦原はいっとき相手の顔をまじまじと見つめ、それからようやく口を開いた。

「あいつが……やっぱりあいつの仕業だったのか」

「知らなかったのか？」と上原が訊いた。

芦原は頷いた。本当に知らなかったのだ。

「少々こみいった事情があるんだ」と高間がいった。「それはともかく、こうなった以上あんたと武志との関係もはっきりさせておきたい。武志があんたのパートナーだったことは、わかっているんだからな」

刑事たちの目が芦原に向けられた。彼は両肘を机の上に乗せ、掌を組んで、そこに額を押しつけた。

「あいつをさ」と彼はいった。「巻き込みたくはなかったんですよ。だから俺ひとりでやったことにしたかった。たとえあいつが死んでいるにしてもね」

そして芦原は呟いた。「あいつ、いいやつでしたよ」

「まずは一服するかい？」

上原が煙草の箱を差し出した。芦原は黙ってそこから一本抜き取った。

少年たちのランニングを眺めている時、ふいに背後から声をかけられた。芦原が振り返ると、色褪せたトレーニング・ウェアにヤッケを着て、野球帽を目深にかぶった若者が、バックネットの向こうに立っていた。二、三日前から時々姿を見せていたことに芦原は気づいていた。開陽高校の須田武志だということは監督の八木から聞いて知っているが、直接話したことはない。

「東西電機の芦原さんでしょう？」

武志は近づきながら再び声をかけてきた。芦原は迷惑そうな顔を作った。親しい人間ならともかく、付き合いのない者に昔の話をほじくり返されるのは嫌だった。

「そうだが」

「開陽の須田です」

「知ってるよ。それがどうかしたかい？」

なるべく突き放した言い方をしたつもりだが武志は一向にひるまなかった。そしてネットに鼻がくっつきそうなくらい近づいてくると、世間話でもするような調子でいった。

「芦原さん、あの球はどうなりました？」

「あの球？」

　すると武志は小さくボールを投げる真似をして、「揺れながら落ちる球」といった。

「くだらないな」

　芦原は顔をグラウンドに戻した。あの球のことを軽薄な話題にするつもりはなかった。

「俺が東西の練習を見に行った時のこと、覚えてますか？　あなたは投球練習所にいた」

「覚えてるよ。すごいのが入るかもしれないといって、監督あたりが騒いでたからな。結局冷やかしだったらしいが」

「冷やかしってことになるのかな」

　武志は笑みを漏らしたようだ。「まあそうかもしれないな。あの時は東西電機という会社にちょっと興味があってね、それで先輩に頼んで見学させてもらったんだ。野球部の方は付録ってことになるかな」

　ふん、と芦原は鼻を鳴らした。「付録で悪かったな」

「だけどあなたのあの球は収穫だった」と武志はいった。「俺には特技があってね、いい球のことはいつまでも忘れないんですよ。あれから何度か東西の試合を見にいって、あなたが投げるところも見ましたよ。残念ながら、突然あなたは辞めちゃったけどね」

「この足を見ればわかるだろう？」

芦原は杖の先で地面をコンコンと突いた。「全部終わった。あとは子供に野球を教えることで、自分の欲求を満たそうと思っているんだ」

だから、と彼は武志の方に少し首を曲げた。「邪魔しないでくれ」

「邪魔する気はないですよ。あの球を教えてほしいだけでね」

「もう忘れたよ」

「あの球をあなたの胸の内にしまっておいても、もったいないだけだ。俺に教えてこそ値打ちがある」

「自信家だな」

「そうかな」

「あんたほどの力があるなら充分だろ。天才須田が、社会人野球崩れに教えを乞うなんて、見苦しいと思わないのか？」

「格好はつけない主義でね」

「ふうん」

芦原はとりあわず、ランニングを終えた少年たちの方に歩いていった。八木もやってきて、二人で守備練習の指導を始める。須田武志はしばらくはバックネットの裏に立っていたが、やがて走り去っていった。

それからも武志は時々やってきた。彼もこの少年野球チームの出身であるから、邪魔にするわけにはいかない。たまに武志は、一言二言アドバイスらしき言葉を子供たちにかけたりもする。

子供たちは当然武志の顔は知っているから、よくいうこともきいていた。

「いくら来ても無駄だぜ」

二人だけになった時、芦原の方から武志にいった。「俺は今まで誰にもあの球のことは教えなかったし、これからも教えるつもりはない。天才須田だろうが、天皇陛下だろうが同じだ」

だが武志は何もいわず、不敵な笑いを唇に浮かべているだけだった。

無視しようと芦原は思った。あんな奴のことなんか気にしなければいいんだ、と。

そんなある日、彼の身に全く別の事件が起こった。少年野球のコーチを突然解任されたのだ。

八木はいろいろと理由をこじつけていたが、じきに真相はわかった。父兄の中に、以前芦原を陥れた安全調査部長の西脇がいて、彼が芦原にコーチを辞めさせた首謀者なのだ。

忘れかけていた憎しみが蘇ってきた。

――俺の人生をぶち壊した西脇……あいつは今度は、俺の最後の生き甲斐まで奪いやがった……

こみ上げてくる怒りを持て余し、西脇に対する憎しみを反芻《はんすう》しながら芦原は酒におぼれた。仕事にも行かず、一日中飲んでいた。

そのように悶々とした日々を送っている時、アパートに武志が訪ねてきた。

「コーチをクビになったそうだね」

武志はちょっと意地悪そうな言い方をした。それが気に障《さわ》り、芦原はそばにあったコップを投げつけた。ガラスのコップは玄関の柱に当たり、こなごなに砕け散った。

「おまえには関係ないだろ」

酒のせいで、芦原の呂律《ろれつ》は少し怪しかった。

「あんたをクビにするなんて、あの監督もどうかしている」

けっと芦原は吐いた。

「監督は関係ねえよ。あの西脇の奴、どこまで人の邪魔をしたら気が……」

いいかけて芦原は口を噤《つぐ》んだ。他人には話さないつもりだった。

しかし武志は彼のそのようすを見て、

「面白そうだな、その話」

といって部屋に上がりこんできた。「西脇とは、何かつながりがあるのかい？」

いつもの芦原なら相手にしないところだった。だがこの頃の彼はとにかく誰かに自分のグチを聞いてほしかったし、おまけに酒も入っていた。西脇の名前を出したことで、アルコールの回りも急激に速くなったようだった。

芦原は自分がどのような経緯で会社を辞めさせられたか、そして憎むべき安全調査部のボスが西脇だということを武志にしゃべった。

「よく黙って会社を辞めたな。訴えるとかできなかったのかい？」と武志は訊いた。

「証拠が何もねえよ。証人は丸めこまれてるし、俺ひとりがいくら騒いだって無駄なんだよ」

芦原は一升瓶をラッパ飲みし、ひどくむせた。むせながらいった。「だけどさ、俺だって……仕返しを考えたんだぜ」

「仕返し？」

「ああ、派手なやつをな」

芦原は部屋の隅に置いてあった段ボールの一つを開け、その中を武志に見せた。さすがに武志の顔も強ばった。

「本物だぜ」と芦原はいった。「こいつを身体に巻いてさ、会社に飛びこんでやろうと思ったんだ。特攻隊さ。だけどやめた。あんなやつらのために死ぬのは馬鹿馬鹿しい」

武志はダイナマイトの一本を取り出し、それを珍しそうに眺めていた。そのうちに芦原は、彼にすべてをしゃべったことが、ひどく馬鹿げたことに思えてきた。やはり他人にするべき話ではないのだ。

「つまらん話だったな、忘れてくれ」

芦原が段ボール箱を片付けようとした時、武志がぽつりといった。

「今度もやらないのかい？」

芦原は彼の顔を見返した。「何だって？」

「特攻隊だよ」と武志はいった。「やらないのかい？」

「俺にやらせたいのか？」

「そうじゃないけどさ、何もしないで気がおさまるのかい？」

芦原は一升瓶を引きよせ、ぐいとひと飲みした。それから口のまわりをぬぐい、武志を睨みつけた。

「俺にどうしろっていうんだ?」

「別にどうしろってことはないけどさ」

武志は段ボールの中を覗きこみ、続いてその視線を芦原に注いだ。「これだけの小道具を生かさない手はないと思うけどな。たとえば……これを奴らの会社に仕掛けるっていうのはどうかな?」

「爆弾を?」

芦原は宙を見据えた。今まで考えなかったことだ。しかし、はっと我に返ると、彼は慌てて首を振った。「だめだ、だめだ。何をいいだすんだ」

「嫌ならいいさ」

武志はあっさりいうと段ボールのふたを閉じ、ズボンのポケットからハンカチを取り出した。そして、ちんと洟《はな》をかむと、再びそれをポケットに戻した。

正直なところ芦原の心は揺れていた。何の復讐もせずにすませたくはなかった。といっても特攻隊は論外だった。武志の提案は、妙案に思えた。

「しかし……仕掛けるといっても簡単なことじゃない」

ようやく芦原はいった。「社外の人間の立ち入りは厳しくチェックされるし、おまけにこの通り片足が不便だ。いっぺんに怪しまれてしまう」

「だからさ」と武志はいった。「俺が手伝ってやるよ。爆弾は俺が置いてくる。それでどうだい?」

芦原は彼の顔を見た。武志は口を歪めた。

「ただし……か？」と芦原は訊いた。

武志は頷いた。「そう。ただし、だ」

ただし、例の変化球を教えてほしい、というのが条件だった。

「わからんな」と芦原はいった。「そんなことのために、犯罪に手を貸すのか？」

「俺にもいろいろと事情があるんだよ」

武志は鼻の下を指でこすった。「それにあんたには同情している。本当だぜ」

芦原は歯を嚙みしめたまま、ゆっくりと息を吐いた。

「よしわかった。しかし断っておかなきゃならないことがある。俺があの球を教えることができるかどうか、俺には保証できない」

武志は首を傾げた。「どういうことだ？」

「俺自身も、まだあの球を完全に把握していないということさ」

そういって芦原は、武志の顔の前で右手を広げて見せた。


芦原が広げた掌を見て、高間と上原は虚をつかれたような顔をした。彼はそのまま左手の人差し指で、右手の中指の先をつついた。

「この指の横に小さな傷があるでしょう？　俺が東西で働いていた時に、切削機でやっちゃったんですよ。その時も安全調査部の連中に見つかったらヤバいってわけで、こっそり治療したんですけどね」

そして彼は右手を見つめ、指先を曲げたり伸ばしたりした。「じつはね、俺がちょっと変わった球を投げられるようになったのは、その直後からなんですよ。真っすぐを投げるつもりがね、急に指先が痺れるみたいな痛みが起きて、ふわっとそのまま投げちまう時がある。その時におかしな変化をするらしくって、キャッチャーがぼろぼろ落とすんですよ。おい何だこの球は？　イケるぞってことになったんですが、俺にしてみれば偶然の産物でしかないわけで、自在に操るというわけにはいかない。指先の痛みはいつ起きるかわからないわけですからね。それでもまあ、ある程度は意識的に投げられるようになったんですが、突発的に痛みが起きて思わず投げてしまった球の方が、はるかに変化はものすごかった。投げる瞬間に中指を硬直させるわけだけれど、その加減が正確には摑めなかった」

ふっと芦原は小さく笑った。「考えてみれば、まさに魔球だったたな。本人の意思とはお構いなしに、出たり引っ込んだりするんだから。俺はね、あれは神様の気紛れなプレゼントだと思ってるんですよ。大した才能にも恵まれないくせに一生懸命野球ばっかりやってた男にね、少しはいい目を見せてやろうと思って下さった贈り物なんですよ」

「じゃあどうやって武志に教えたんだ？」と高間は訊いた。

「だから試行錯誤ですよ。俺自身が完全に把握していないんですから」

「武志はそれで納得したのか？」

「納得しなきゃしかたがないでしょう」と芦原は答えた。

芦原が高間にいったように、それはまさに試行錯誤の繰り返しだった。武志が高校から帰ってから、石崎神社の境内でそのあてのない努力は続けられた。武志はいうまでもなく、芦原も必死になった。武志の気迫に引き込まれたこともあるが、野球に関われるのはこれが最後かもしれないという気持ちが、彼をかりたてていたのだ。

だが『魔球』は再現されなかった。芦原自身も昔を思いだして投げてみたが、何も起こらなかった。まるであの頃のことは夢だったかのように、ボールはただ真っすぐ進んで、真っすぐ落ちるだけだった。

芦原が北岡明に会ったのは、そんな頃だった。武志の練習を終え、自分のアパートに戻る途中に呼び止められたのだ。

北岡は自己紹介してから、須田との練習の意味を尋ねてきた。彼はちょっとした用があって武志の家に行ったらしいのだが、神社にいると聞いて行ってみて、二人の秘密練習を目撃したということだった。

芦原は仕方なく、本当のことをしゃべった。といっても爆破計画のことは黙っている。かつて自分が投げた変化球を練習しているのだといった。

「そういう話なら、僕にも相談してくれればよかったのにな」

北岡は少しすねたような表情を見せた。

「変化球をマスターしたら話すつもりらしい。あの球は受けるのも大変だから、キャッチャーも特訓しなければならないからな」

「そんなにすごい球なんですか？」と北岡はびっくりしたようだ。

「何しろ魔球だからな」と芦原は少しおどけていってみた。

「魔球ね……」

「ただし、修得できれば、の話だ」

「いつ頃になりそうですか？」と北岡は訊いた。

「わからない。このまま永久にできないかもしれん」

冗談でなく、と芦原は付け加えた。それから、今日こうして話したことは武志には内緒にしてほしいと頼んだ。『魔球』が完成するまでは、誰にも口外しない約束だったのだ。

このように日にちが過ぎていったが、ある金曜日武志が芦原のアパートにやってきた。

「こういうのを作るんだ」

武志は芦原の前で紙をひろげた。それは包装紙の裏に、何か図面を描いたものだった。

「何だこれ？」

芦原は訊きながら図を見た。四角い箱の中に、スプリングを入れたようなものだ。

「単純な時限発火装置だよ」と武志は何でもないことのようにいった。

「発火装置？」

芦原はどきりとして紙面を見つめた。フリーハンドだが、細かい寸法まで書きこんであった。

武志は指で図面をなぞりながら説明した。

「この部分からコードを出して乾電池とつなぐ。それからこの空間にドライアイスを入れておけば、時間が経つとドライアイスが溶けてスイッチが入る――という仕掛けだ」

「なるほどな」といってから、芦原はごくりと唾を飲みこんだ。

「これを作ってくれれば、あとのことは俺が全部やるよ」

「いつやるんだ?」

決行日のことを芦原は訊いた。武志は即座に答えた。「三日後だ」

その問題の三日後、当然のことながら芦原は朝から落ち着かなかった。部屋に閉じ籠もって、ラジオに耳を傾けていた。武志は計画については何もいわずに出ていったのだ。爆弾をどこに、そしてどういうタイミングで仕掛けるかは芦原が指示したが、いつ爆破させるつもりなのかは武志にかかっている。だが彼はそれを全くいわなかったのだ。とにかく自分に任せろというだけだった。

何をする気にもなれずに、芦原はラジオがニュースを告げるのを待った。そして待ちながら、自分の中に罪悪感が生じているのをはっきりと感じた。あれだけのダイナマイトが爆発すると、どれだけの被害になるのか彼には見当がつかなかった。何人の人間が死ぬのか? あるいは彼とは全く無関係の者にまで被害が及ぶかもしれない。

時計を見ると昼近くになっていた。もうそろそろではないかという気がした。武志がどのくらいの大きさのドライアイスを入手するかによるのだが。そういえば武志は、ドライアイスをどこで買うのかもいわなかった。

じっとしていられない時間が流れた。鼓動はずっと不規則のままで、掌は拭いても拭いても汗で濡れた。

だが結局東西電機が爆破されたというニュースは流れなかった。その代わりにこの夜流れたのは、爆破しない爆弾が仕掛けられたというニュースだった。

「どういうことだ？」

翌日武志がやって来たので、芦原は問いつめた。だが武志は平然としている。

「爆弾を仕掛けるとはいったけど、爆破するとはいってないぜ。一度もいってない」

「……ペテンにかけたわけか。最初からそのつもりで」

「ペテンにかけたわけじゃない。俺はあんたの復讐心を満足させてやりたいと思っただけだ。あんた、昨日の気分はどうだった？」

「…………」

「後悔してたんじゃないのかい？　あんな奴のいうことに、そそのかされなきゃよかったってね。自分のせいで人が死ぬかもしれないと思ったら、怖かっただろ？　そう考えたところでさ、あんたの復讐はおしまいなんだよ」

芦原は唇を嚙んで武志を睨んだ。くやしいがそれはそのとおりだった。武志の思うままに踊らされていたのは癪《しゃく》だが、こういう結果になって安堵しているのも事実なのだ。

「だからさ」と武志はいった。「嫌なことは忘れて、あとは俺に魔球を教えてくれればいいのさ。そうして俺はプロ入りする。たんまり契約金を貰ってさ。そうすればあんたに礼もしてやれる」

そして彼は、にやっと笑った。

「ひとつ教えてくれ」と芦原はいった。「最初からこうするつもりなら、なぜ本当に爆弾を仕掛けたりしたんだ。こういうふうに話をつけるつもりなら、仕掛けたふりでもしとけばよかっただろう」

「だからさっきいったじゃないか」と武志はいった。「爆弾を仕掛けるってことは約束しただろ？ 俺は約束は守る男なんだよ」

こうしてまた二人の特訓は続けられたが、依然進展は見られなかった。やがて選抜大会が終わり、武志が訪ねてきた。彼は、芦原との練習をしばらく中止するといった。代わりに北岡と組んで特訓するということだった。

「北岡が一緒にやりたいっていうからさ、そうすることにしたんだ。あいつ、俺とあんたとのことを知ってたみたいだな。境内で偶然見られたらしい」

「そうか」と芦原は頷いた。「まあそれも気分が変わっていいかもしれんな」

「あんたには、またそのうちに頼むかもしれない」

「いつでもいいぜ」

「世話になったな」と武志はいった。

「お互いさまさ」と芦原は答えた。

「奴と会ったのはそれが最後ですよ」

腕を組み、芦原は大きなため息をついた。「考えてみたら、面白いやつだった」高間は、ボールペンを掌の中でくるくる回していたが、それを止めるとボールペンの先で芦原を差した。

「選抜大会は見たかい？　開陽高校が出た試合だ」

「見てないけど、ラジオで聞きましたよ。須田らしくない暴投で幕切れってやつでしょ」

「あの暴投をどう思う？　あれがその変化球だったとは考えられないか？」

「あれがね……」と芦原は首を傾けた。「見たわけじゃないから何ともいえないですね。もしそうだとしたら、土壇場で魔球が完成したことになる。しかし、あの局面でそんな冒険をするかな」

「北岡はあの日、『魔球を見た』と書き残している。少なくとも彼は、最後の暴投はあんたと武志が練習していた『魔球』だと思ったんだ。それで武志に練習相手を志願したんじゃないかな」

「かもしれませんね」

それから芦原は思った。ああいう緊迫した場面で、新変化球を試投したとすれば、それはいかにも須田らしい――と。

「さて……と」

高間はいったん腰を上げて椅子に座り直すと、芦原を見据えたまま口を開いた。「魔球のことはわかった。爆弾事件のこともはっきりした。ただ、一点だけあんたは嘘をついている。いや、嘘というのは正確ではないな。隠しているんだ。あんたが長い時間をかけて話してくれたものは、その一番の秘密の外周をなぞっているにすぎない。意識的にその部分を避けている。違うかい？」

高間が黙ると、取調べ室は不可解な沈黙に覆われた。埃っぽい空気が、ゆっくりと床の上に淀んでいくようだった。

「なぜあんたがそれを隠しているか、俺には何となくわかっているよ。あんたの気持ちはとてもよくわかる。しかし、避けるわけにはいかないんだ」

高間は静かに続けた。「右腕の話だ」

2

受験勉強の手を休め、田島恭平は窓から外を眺めた。電柱に数本の電線が通っていて、その向こうに月と星が見える。月には少しだけ雲がかかっていた。

須田武志の顔が頭に浮かんだ。明日の野球部の練習のことを考えたからかもしれない。

野球のことを思うと、田島の頭は痛んだ。今までの自分の思い出が、急に色褪せたような気がした。自分は今まで何をやってきたんだろう？

正直なところ、田島にはもうボールを握る勇気はなかった。あのことを知ってから、そうなったのだ。

彼がそれに気づいたのは、この前の紅白戦の時だった。いい争いになった時に直井が口走った言葉が引き金になったのだ。

須田の右腕がなくなれば、何も残らない——。

これは、「開陽には何も残らない」という意味の台詞《せりふ》だったが、田島は別のことを考えた。それは、須田自身にとっても彼の右腕がなくなれば何も残らないではないか、ということだった。

こう考えたのには根拠がある。ひとつには、高間という刑事から、須田が変化球の特訓をしていた可能性を示唆されていたからだった。あれほどの剛速球を投げ、変化球に頼ったことのない須田が、なぜ今頃になってそんなことをするのか？　それはもしかしたら、自分の球威に限界を感じざるをえないような、何かが起きたからではないのか？

根拠の二つ目は、北岡が図書館から借りた二冊の本のタイトルだった。その二冊はいずれも、スポーツ障害についての本だったのだ。田島は図書館に行き、それと類似した本を調べてみた。『運動と身体』、『スポーツ外傷』、『スポーツ障害対策』——これらの本のすべてを、最近北岡が借りていたことが判明した。彼は明らかに、肉体の故障について調べていたのだ。ではそれはいったい何か？

須田は右腕か肩に、何らかの故障を持っていたのではないか——これが田島の得た結論だった。そしてこう考えれば辻褄《つじつま》の合うことが出てくる。たとえば、北岡が死んだ数日後に三年生部員が集まったが、その時の沢本の話だ。北岡が練習試合のメンバーを決める時、田島と沢本のバッテリーを先発させようかといったという。沢本はそれを北岡のタチの悪い冗談だと思って憤慨していたが、それは冗談ではなく本気だったのではないか。少しでも須田の負担を軽くしようとした、北岡の配慮だったのでは――。

長年たった一人で投げぬいてきた須田は、土壇場でそういう悲運に直面した。これを乗りきるための切り札として、彼は『魔球』をあみだそうとしたのだ。

悲しみがまた田島を襲いつつあった。自分でも摑みどころのない悲しみだった。須田とは特に親しかったわけではないし、じつのところ、彼の死をどれほど深く悲しんだかという点については、田島にしてもあまり自信はなかった。だがそれでも現在の悲しみは本物だった。

田島は自分の推論を高間刑事に話した。勇樹にも同席してもらった。刑事も勇樹も、彼の話に最後まで真剣に耳を傾けていた。刑事は時折頷いたり、感心したような声を出したりした。勇樹は終始無言だった。

刑事に話したことが正しかったのかどうか、田島にはわからない。今もまだわからなかった。ただ田島はひとつだけ刑事にいわなかったことがある。それはあまりに不確かな推理なので、口には出せなかったのだ。

しかし――と田島は思う。

しかしあの刑事も気づいたはずなのだ。その証拠に、別れ際に見た刑事の目は、やはりとても悲しげだったのだ。

3

手塚麻衣子の家に向かいながら、高間は最初にどういって切りだすべきか考えていた。彼女が話しやすいように気を配る必要があるわけだが、その方法がどうも思いつかなかった。

今朝開陽高校に連絡したところ、麻衣子は相変わらず休職中だという。彼女の様子を訊こうと思って森川を呼びだしたところ、彼もまた欠勤していた。

「手塚先生は、今日から長野の親戚の家に行かれるそうですよ。しばらく帰ってこないので、それで森川先生がお見送りに行かれたんじゃないかしら」

電話に出た事務員はおしゃべりで、なかなか貴重な情報を高間にもらしてくれた。それで彼は小野と二人で麻衣子の家に急いだのだ。

到着すると、高間は玄関の戸を軽く叩いた。小さな返事があって戸が開き、麻衣子の白い顔が覗いた。彼女は高間を見て、あっというように口を動かした。もう出かけるところだったのか、奇麗に化粧を終えていた。

「少しお話を伺いたいのですが、よろしいですか？」

「ええ、あの……」

彼女は部屋の奥を気にかけたようだった。高間は察した。

「森川がいるんでしょう？　御一緒でも我々は構いませんが」

彼女はまた奥の方を見た。閉じていた襖がすっと開いて、森川が顔を出した。

「やっぱりおまえか」と彼は苦笑を浮かべた。「彼女にまだ何か用があるのかい？」

「ちょっとしたことだがね」と高間はいった。「少し邪魔していいかな？」

「いいんじゃないのかな。ねえ」

森川は麻衣子に呼びかけたのだった。彼女はうつむいたまま黙っていたが、やがて小声で、

「どうぞ」といった。

室内は奇麗に片付けられていた。卓袱台は残っていたが、高間が前に来た時に見た座卓や茶箪笥は消えていた。古道具屋に売ったということだった。部屋の隅には大きなボストンバッグと小さめのスポーツバッグが並んで置かれていた。

「長野の方に行かれるそうですね」

高間が訊くと、麻衣子は正座したまま頷いた。

「最後の説得をしているところだよ」

森川は煙草を吸い、卓袱台の上にぽつんと置かれた灰皿の中に灰を落とした。「行かないでくれってね。わざわざ学校を休んでまでさ」

麻衣子は黙っている。

「理由は何ですか？」と高間が尋ねた。

彼女は膝の上で掌をこすり合わせていたが、「疲れたんです」とぽつりといった。

「疲れたって、仕事に？」

「……いろいろです」

「あなたと森川とのことが学校で噂になっているという話を聞きました。それが少々問題になっているということもね。そのことが原因ですか？」

「無視すればいいんだよ、あんなのは」

森川が煙草の煙と共に吐き捨てた。「教師だって恋愛ぐらいするさ。堂々としていればいいんだ。どうせ時間が経てば、皆飽きてくるさ」

「そうじゃないのよ」

突然麻衣子が声を上げた。驚いて森川は煙草をくわえたまま彼女を見ている。高間もぎくりとして、思わず背筋を伸ばした。

彼女自身も自分の声の大きさを恥じたのか、頰に手を当てた。そして今度は抑えた声で、「そうじゃないの」と繰り返した。

「じゃあどうなんだい？」

森川は苛立った声を出し、灰皿の中で煙草を揉み消した。

「だから……少し考えたいのよ」

麻衣子は頰に手を当てたまま呟いた。目のふちと、それから耳のあたりが少し赤くなっている。色白だから特によくわかるのだ。

「教師の役目だとか、教育だとか……そういうこと。今のままじゃあたし、教壇には立てないのよ」

「どうして急にそんなことをいうんだよ。何があったんだ?」

「それは……」

麻衣子は手を下ろし、膝の上で握りしめた。それはいえない、といっているようだ。

切り崩せそうだと高間は思った。今は彼女の心が揺れている。

「ではとりあえず我々の質問に答えていただけますか？」

高間がいうと彼女は顔を上げた。そして彼が次の言葉を口にしかけた時、部屋の隅にあった電話が鳴りだした。

麻衣子が立って行って受話器を取り上げた。タイミングを逃したなと、高間は内心悔しかった。

「高間さんに、です」

送話口を塞いで彼女が振り返った。捜査本部かららしい。高間は受話器を受け取った。

飛びこんできたのは本橋の声だった。

「須田勇樹が病院に担ぎこまれたぞ」

「えっ、まさか」

「本当だ。学校に行く途中、襲われたといっている。が、左腕を怪我しただけで、生命に別状はない」

「本橋さん、それは……」

「うん、たぶんおまえさんが考えているとおりだろう。今、現場付近を徹底的に調べさせている。——で、そっちはどうだ」

「いえ、これからですが」

「そうか。そっちが片付いてくれればいいんだがな」

「おそらく大丈夫でしょう」

電話を切ってから、高間はまず小野に、「須田勇樹が襲われて腕に怪我をしたそうだ」といった。当然森川や麻衣子も聞いていて、顔色を変えた。

高間は麻衣子の方を向いて座り直した。

「しかし我々は、殆ど犯人の見当はついているんですよ。そしてあなたも犯人を知っている。違いますか？」

彼女は深く首を曲げた。「あたしは何も……」

「おい高間、どういうことなんだ？」

森川が咎めるような語気でいったが、高間は続けた。

「あなたが嘘をつくのは、もしかしたら教育のためですか？　しかしもはや何の意味もないのです。単に悲劇を長びかせるだけだ。そのことはあなた自身が一番よくわかっているはずじゃないですか」

「あたしは……」

そういったきり彼女は動かなくなった。目をみはり、宙に浮いた何かを凝視しているようだった。やがてその目に涙がたまり、彼女の頰を一筋流れた。

4

勇樹が担ぎこまれたのは、地元の大学病院の外科診療室だった。高間と小野が行くと、相馬という同僚の捜査員が待ち構えていた。

「今、三〇五の病室にいる。母親も一緒だ」

「怪我の具合は？」

「ここだ」と相馬は左腕のつけ根のあたりを指した。「刺し傷だ。それほど深い傷じゃない。自宅を出て、三百メートルほどいったところの小道で襲われたといっている。たしかに人気の少ないところではある。自転車に乗っていたら、突然物陰から現れて襲ってきたんだそうだ。刺されたあと自転車から転がり落ちて、そのあと大声で助けを求めたらしい。犯人の身長は一メートル七十ぐらい。年は三十過ぎぐらいで、顔ははっきりとは見ていない。襲う時に、『兄貴の次はおまえだ』と叫んだといっている」

「兄貴の次はおまえ……か」

高間は右手で左肩を揉んだ。無意識のうちにため息をついていた。「凶器は？」

「ナイフがそばに落ちていた。果物ナイフのようだな。新しいもののようだから、最近買ったのだろう。今日に備えてな」

やや皮肉めいた口調で相馬はいった。「今鑑識で調べているところだが、指紋はついていない。また北岡明、須田武志の時の傷口とは一致しない」

「目撃者は？」

「いない」

つまらなそうに相馬はいい捨てた。

「そうか、じゃあひとつ会ってくるかな。三〇五号室だったな」

高間たちが歩きかけると、「よろしく頼むぜ。皆おまえさんに期待してるんだ。もうこんな事件とは手を切りたいよ」と相馬はいった。高間は右手を上げて応えた。捜査員たちは、事情を察しているのだ。

病院特有の薬品臭い廊下を歩くと、一番奥に三〇五号室はあった。高間はその前で立ち止まると、一つ深呼吸してからドアをノックした。開けてくれたのは須田志摩子だった。

「ああ、刑事さん……」

「大変でしたね」と高間は穏やかにいった。志摩子はさすがに顔色が悪い。武志が殺され、勇樹が襲われたとなれば青ざめるのも当然だろうが。

「ちょっとよろしいですか？」

「ええ、どうぞ」

「失礼します」

病室に入ると、真っ先に壁にかけられた学生服が目についた。学生服の左肩のあたりには穴があって、その周囲が妙な色に染まっていた。血の痕だろう。

勇樹はベッドの上にいた。足を毛布の中に入れ、上半身を起こしている。左肩に巻かれた包帯が痛々しい。彼は刑事たちの顔を見て少し緊張したようだった。

高間は志摩子の方を振り返った。

「申し訳ありませんが、少しの間、我々と息子さんだけにしていただけませんか。いろいろと訊きたいことがありますので」

「あ……そうですか」

志摩子は明らかに怪訝そうだった。たぶん相馬刑事が事情聴取を行った時には彼女も同席したのだろう。だが彼女は何も訊かず、「じゃあ何かあったら呼んでください。待合室にいますから」といって部屋を出ていった。

病室は勇樹と刑事たちだけになった。

高間は煙草を出そうとして背広の内ポケットに手を入れ、すぐにここが病室であることに気づいてその手を戻した。そして窓のそばに行って外を眺めた。窓の下にはねずみ色の瓦屋根がびっしりと並んでいる。いくつかの物干場では洗濯ものが揺れていた。

「傷、痛むかい？」と高間はベッドの脇に立って訊いた。

「少し」と勇樹は前を見たまま答えた。喉がつまったような声だった。

「急に現れたのかい？」

「えっ？」

「犯人だよ。君を刺した犯人。急に現れたんだろ？」

「あ、はい。そうです」

勇樹は包帯を巻いた左肩を、そっと撫でた。

「左から？　それとも右から現れた？」

勇樹は口をわずかに動かしてから、「よく覚えてません」といった。「咄嗟のことで、わからなかったんです。ぼんやりしていて……気がついたら前にいたんです。それで慌ててブレーキをかけました」

「そしてナイフを持って襲ってきた。――でも顔は覚えていないんだね」

「急のことで……すぐに逃げていったし」

「なるほどね、突然現れ、消えてしまったわけだ。まるで幽霊みたいだね」

高間がいうと、勇樹の目線が不安定に揺れた。右手が毛布をぎゅっと握っている。

「犯人は……兄貴の次はお前だっていったんです。だから兄貴を殺した犯人と同一だと思います」

勇樹の言葉に高間は答えず、再び窓の外に視線を向けた。青空に、どこからか灰色の煙が立ち昇っている。

「いや、違うね」と高間は勇樹に横顔を見せたままで静かにいった。「君の兄さんを殺したのは、北岡君を殺した犯人と同一だ。君の腕を傷つけた人物とは別だよ」

「だから……みんな同じ犯人なんですよ」

「違う」

高間は彼の目を見つめた。「じつはね、ここへ来る前に、北岡君を殺した犯人を目撃したという人に会ってきたんだよ。事情があってその人は今まで黙っていたんだが、ようやく本当のことをしゃべってくれた」

高間はベッドの横の椅子に腰を下ろし、勇樹の方に身を乗り出した。勇樹は歯をくいしばっているのか、口元が震えている。

「犯人は……須田武志君だった」

「嘘だ」

勇樹は激しくかぶりを振った。その拍子に傷口が痛んだのか、顔をしかめた。

「嘘じゃないことは、君が一番よく知っているはずだ。君の兄さんは北岡君を殺してしまい、そのために自殺したんだ。さっきもいっただろ？　北岡君を殺したのも、武志君を殺したのも同一人物だって」

「でも、右腕はどうなるんですか？」

これには答えず高間は、

「君は東西電機の中条健一という人を知っているかい？」

と逆に尋ねた。勇樹は首をふった。

「武志君の本当のお父さんだ」

「えっ……」

「彼は死ぬ直前、その人に会いに行ってるんだよ」

「兄貴が、お父さんに……」

「我々も、いろいろと調べたんだよ」

爆弾事件に絡む複雑ないきさつを話すことは、この際避けようと高間は思っている。勇樹がもっと落ち着いてからの方がいいからだ。

「我々はその意味を考えた。そこで初めて、あれは自殺だったのではないかという考えが浮かんできたんだ。死ぬ前に、自分の本当の父親に会っておこうとしたんじゃないかとね。ではなぜ彼が死ぬ必要があるか？　北岡君殺しに関係があるのか？　その時に聞いたのが田島君の話だよ。それで僕は確信を持った。彼は北岡君を殺したのだとね」

「違う、兄貴はそんなことしない」

勇樹は身体をねじり、高間に背中を見せた。その背中は小刻みに揺れている。

「決め手は凶器だよ」と高間はいった。「北岡君と武志君を死にいたらしめた凶器は何だったか？　それが鍵になったんだ。迂闊《うかつ》だったよ。じつに迂闊だった。僕は、その凶器があった場所を見ていながら、そのことに気づかなかったんだ」

彼は懐から一枚の写真を出して、それを勇樹の顔の前に置いた。その写真は中条から借りたものだった。中条と一緒に、竹細工をしている明代が写っている。

「それはね、君の兄さんの本当の御両親だ。ところでその女の人は、右手に小刀を持っているだろう。竹をそいだり切ったりするためのものらしい。それが今回の一連の事件の凶器だったんだ」

勇樹は写真を見たまま答えない。構わずに高間は続けた。

「武志君の大切なものを、以前に見せてもらったことがあるね。本当のお母さんの形見だよ。御守りと竹で出来た人形と、竹細工の道具だったね。だがあの中には、この小刀はなかった。なぜなかったのか？ それは、犯行に使われて、その後処分されたからなんだ。竹細工をするのに刃物の類が必要なことぐらい、もっと早く気づくべきだった。迂闊だといったのはこのことだよ」

「でも、それが使われたという証拠はないんでしょう？」

「それがあるんだよ。昨夜、捜査員が武志君の遺品をいくつか借りに行っただろう？ あの中に例の形見の箱も入っていたんだが、調べた結果、血液反応が出たんだ。北岡君の血液型と一致している。おそらく武志君は、北岡君を刺した後、小刀をいったん箱に戻したのだろうね」

さらに高間は、古い記録を当たって、須田明代が手首を切って自殺した時の凶器を調べていた。予想通りそれは問題の小刀だった。形状と寸法も記録に残っている。その記録を見せて監察医に尋ねたところ、北岡明や武志の傷と一致するという回答だった。

「本当のことを話してもらえないだろうか？」

高間は椅子から立ち、勇樹を見下ろした。「わかっているんだよ。君が何もかも知っていることはね。そして、君が兄さんの右腕を切り落としたことも。君以外に、そんなことのできる人間はいないからね。というより――」

高間は声を落として続けた。「武志君がそんなことを頼めるのは、君以外にいなかったはずだからね」

細かく震えていた勇樹の背中が止まった。高間は彼を見下ろしたままで待った。無言の時間が何秒間か流れた。廊下を誰かが走っていく音がする。

「兄貴の……」

ようやく勇樹が口を開いた。高間は立ったままで両手の掌を握りしめた。

「兄貴の、最初で最後の頼みだったんです」

そうして勇樹は泣いた。右腕で顔を覆い、声を上げて泣いた。まるで何かを吐きだしているような激しさで、しばらくは刑事たちも、ただ見ているしかなかった。

「あの日僕が学校から帰ると、机の上にメモが置いてありました。兄貴の字でした」

数分間泣いたあと、勇樹はゆっくりと話し始めた。何かがふっきれたのか、落ち着いた口調だった。

「メモには何と書いてあったんだい？」と高間は訊いた。

「八時になったら近所のそば屋の前の電話ボックスの中で待っていてくれ、と書いてありました」

「なるほど電話ボックスか。で、君はその通りにしたんだね？」

「しました。そうしたら、そこに電話がかかってきたんです」

高間は頷いた。予想した通りだった。中条に連絡をとった時と同じやり方だ。

「兄さんは何をいったんだい？」

「あと三十分ほどしたら、なるべく大きなビニール袋と新聞紙を持って、石崎神社の裏の林まで来てほしいといいました。絶対に人には見られないように、とも。僕は理由を訊きましたが、教えてくれませんでした。来ればわかる、じゃあ待っている――と」

「いったい何だろう——そう思って僕は出かけました。八時三十分ちょうどでした」

勇樹は遠くを見る目をして、それからのことを話した。

5

石崎神社のあたりは昼間でも人気が殆どないので、夜の九時前となればもう真っ暗で、一人で歩くのが不安になるほどだった。勇樹は武志にいわれたとおり、ビニール袋と新聞紙を持って、長い坂道を上っていった。坂道の先には薄い灯りが見える。石崎神社の境内にある常夜灯だ。それを目ざして勇樹は足を運んだ。四月とはいえ、やけに冷える夜だった。

鳥居をくぐり、境内に入っても誰もいなかった。勇樹は真っすぐに進み、賽銭箱の前に立って回りを見渡した。灯りの届く範囲に人の姿はなかった。

——兄貴は神社の裏の林で待っているといったな
妙なところで待っているのだなと思った。特別な練習をするために必要なのかもしれないが、灯りが届かないのでは意味がないではないかという気がした。

神殿の横を抜けて境内の裏側に回ると、急に暗くなって足元も見えなくなった。それでもゆっくり進んでいくと少し目が馴れ、松林が途切れてやや広くなったところに出た。ここには月明りが届いていて、地面の石ころまではっきりわかる。

「兄貴、どこだい？」

呼んでみたが返事はなく、自分の声がいつまでも闇の中に残っていた。

勇樹はそこから数歩進んで足を止めた。正面の太い松の木の下に、人がうずくまっているのが見えた。トレーニング・ウェアの背中に見覚えがある。武志に間違いない。

「どうしたんだい？」

勇樹は声をかけてみたが、武志は動かなかった。珍しくふざけているのかなと思ったりした。

「兄貴、いったい何やってる……」

勇樹が言葉を切ったのは、武志の右手に目がいったからだった。そこには何か刃物が握られていて、夥しい血が掌を染めていた。

何かが喉元までこみ上げてくるのを感じながら、勇樹は武志に駆け寄った。武志はあぐらをかき、前につんのめったような格好をしていた。その武志の身体を起こすと、かたまりかけた血が、どろりと下腹部から流れ落ちた。

勇樹の胸の奥で何かが爆発した。彼は叫び声を上げていた。その声はまぎれもなく自分の声だったが、どこか別の世界から聞こえてくるような気がした。声だけではない。何もかもが現実のこととは思えなかった。

彼を正気に返らせたのは、かっと見開かれた武志の目だった。その目を見た途端、勇樹は声を出せなくなってしまったのだ。武志のその目はまるで、「騒ぐな」と弟を戒めているようだった。

「兄貴、どうして？」

勇樹は武志の背中に手をあてて泣いた。涙があとからあとから流れた。

ひとしきりそうしたあと、勇樹は傍らに白い紙が置いてあるのに気づいた。それは便箋を折り畳んだものだった。最初の行に、『勇樹へ』と書いてあった。

「僕の学生服のポケットに御守り袋が入っています。ちょっと取っていただけませんか」

勇樹がいうと、小野刑事が素早い動作でそれを取り出した。

「その中に、兄の手紙が入っています」

「見ていいかい?」と高間が訊いた。

「ええ、どうぞ」と勇樹は答えた。

『勇樹へ
ほとんど時間が残されていないので、要点だけをかいつまんで書く。おまえにとってはひどく辛い内容だと思うが、どうか耐えて受けとめてほしい。そしてここに書いたすべてを、おまえの心の中だけにとどめておいてもらいたい。

北岡は俺が殺した。

無論事情はあるが、それについてはここに書き残す必要はないだろう。それをおまえが知ったところでどうにもならないのだから。

現時点で重要なことは、そんなことではない。

今もっとも重要なのは、このままだと俺が犯人だということを、警察がやがて知るだろうということだ。そんなことになれば俺たちには未来はない。子供の頃から兄弟で築きあげてきたものが、一度に崩れさってしまうのだ。俺は監獄に入れられるだろうし、おまえの道は閉ざされる。そして母さんは深く悲しむだろう。

それを防ぐためには、絶対に俺は犯人ではないという状況をつくらなければならない。そこで俺はひとつの方法を考えた。もはやこの手しか残っていない。

その方法とは、俺自身も誰かに殺されたことにするというものだ。北岡殺しと須田殺し、開陽高校バッテリーを狙った連続殺人事件と考え、警察は犯人を同一だとみるに違いない。そうなれば、俺に北岡殺しの嫌疑がかかることはないだろう。おまえも母さんも、殺人犯の家族という肩身の狭い思いをしなくてもすむ。

俺は大して思い残すこともないが、ただ一つやり残したことがある。それは母さんへの恩返しだ。あの人は、自分と全く血のつながりのない俺を、実の子と同様に育ててくれた。俺は一生かかってでも、その恩を返さねばならなかった。そして返すつもりだった。その手段として野球を選んだのだ。

だがこんなことになった今は、それはできなくなってしまった。迷惑をかけただけで別れるのは辛いが、この際しかたないだろう。

あとはおまえに全てを託す以外に道はない。幸いおまえは俺と違って、父親ゆずりの切れる頭を持っている。必ず母さんに幸せを与えられる人間になるだろう。あと一年遅ければ、おまえたちのために、すこしまとまった金を持って帰れるはずだったが、それも結局できなかった。悪いが、これからも今までのように、母子力を合わせて生きていってほしい。俺は長男として育てられたが、長男として何もしてやれなかった。これからはおまえが長男なのだから、俺のできなかった分までがんばってくれ。

時間がない。急ごう。

そういうわけで、俺はこれから死ぬことになる。それは俺が自分でしでかしたことの決着をつけるのであって、世間でいう自殺とは違う。そこで兄として最後の頼みだが、俺流の決着に協力をしてほしい。やることは少々大仕事だ。俺の右腕を切断し、どこか絶対に見つからぬように始末してくれ。そうすれば、どこから見ても他殺に見えるだろう。切断のための鋸は、俺のそばに置いてあるはずだ。

ここで大事なことは、切断するのは必ず右腕でなければならないということだ。説明は省くが、この点は厳守してほしい。左腕でも、右足でもいけないのだ。

また右腕と一緒に、鋸と小刀も処分してほしい。これらが見つかると、せっかくの計画がぶち壊しになる可能性がある。

俺がおまえに告げておくことはこれだけだが、おそらくおまえは納得できないだろう。だが我慢してほしい。真相など、おまえのこれからの人生を考えたら些細なものだ。おまえが俺のことを思いだす時には、俺は化物にとりつかれて死んだのだと思ってくれればいい。その化物の名前は、魔球とでもしておこうか。この化物に出会わなければ、俺ももう少し別の道を考えたのだがな。

　最後になったが、おまえに礼をいっておかねばならない。おまえがいてくれたおかげで、俺は気を休めることができたし、辛いことを辛抱することもできた。本当に感謝している。これでもう書くべきことは何もない。俺が今一番気になることは、おまえが首尾よくやり遂げてくれるかどうかということだ。だがおまえならできるはずだと信じている。

よろしく頼む。

武志』

白い便箋に書かれた遺書を読む間、勇樹の涙は止まらなかった。文字がかすみ、便箋を持つ手が細かく震えた。

よろしく頼む――。

最後の一言が、心の奥にずしりと沈んだ。今まで一度も弟に頼みごとなどしなかった兄が、最後の最後でそれをしたのだ。そしてそれは武志にふさわしい頼みごとだった。

勇樹は遺書をズボンのポケットにしまうと、服の袖で涙をぬぐって立ち上がった。時間がない――そのとおりだった。処置が遅れるほど、武志の命をかけた行為がフイになる恐れが出てくるのだ。

遺書にあるとおり、松の木のそばに折り畳み式の鋸が置いてあった。武志が買って用意したものらしく、まだ値札がついたままだった。

セーターとズボンを脱ぎ、さらに靴も脱いでから勇樹は鋸を構えた。そして武志の右腕のつけ根に押し当てる。ここで彼はもう一度兄の顔を見た。「早くやれ」といっているように思えた。

勇樹は目をつぶって思いきり鋸をひいた。ズッと音がしたが、すぐに動かなくなった。おそるおそる目を開けてみる。衣服がからまって、五センチほどしか鋸は動いていなかった。彼は武志の右手から小刀を取ると、それでまず服の袖を切った。筋肉の盛り上がった、武志の裸の肩が覗いた。

再び鋸を当ててひいてみる。今度は皮膚が破れた。恐ろしさを忘れるため、がむしゃらに腕を動かしたが、またすぐに止まってしまった。鋸の刃に、皮膚や肉がからんでしまうのだった。

この後はただもう死にもの狂いだった。何度も刃をあて直しては引く。時々刃に詰まった肉を取ったり、血を拭いたりする。そんなことを繰り返しているうちに、力まかせに切ろうとしたのではだめだと分かった。

どのぐらいの時間そうしていたのかわからない。とにかく何とか右腕を切断し終えた時には、全身汗びっしょりで、心身ともドロのように疲れきっていた。途中何度か吐きそうになったが、歯をくいしばってこらえたのだった。

まわりは血にまみれていた。そこから右腕を拾いあげると持参のビニール袋に入れ、さらに新聞紙で包んだ。鋸と小刀も一緒に包んだ。なぜ武志がビニール袋と新聞紙を持ってこさせたのか、勇樹はここで初めて理解したのだ。

手足に血が飛び散っていたが、シャツやパンツはそれほど汚れていないようだった。ひどいのは靴下で、それも新聞紙にくるんだ。

このあと彼は自分の足の裏など、血のついたところを武志の服で拭き——この時は少し気が咎めたが、武志も許してくれると思った——セーターとズボンを着て、素足のまま運動靴を履いた。

靴を脱いで作業したので、靴下の足跡が少し残っていた。勇樹はそれも慎重に消しておいた。また運動靴の足跡もできるだけ消したが、これはそれほど神経質にならなくてもいいと思っていた。武志も勇樹も同じ靴を履いているし、サイズも同じだったからだ。しかも最近買ったばかりで、減り方に差がない。

現場を去る時、勇樹の頭にある考えが浮かんだ。その時はそれが妙案であるような気がした。そこで彼は武志のそばの地面に『マキュウ』と書き残してから、その場を去った。

あとは無我夢中だった。人目につかないように気をつけながら夜の町を抜け、家に帰った。志摩子がまだ帰ってこないことは分かっていたのだ。新聞で包んだものは、とりあえず近所のゴミ箱の陰に隠しておいた。処分するチャンスは、今夜確実に生まれるはずだからだ。そのあと勇樹は服を脱いで汚れを点検した。シャツの肩のあたりに、わずかに血がついているだけだった。この程度なら志摩子も気にとめないだろうと思えた。また爪の先が赤黒く汚れていた。鋸の刃を拭いたりしたからだろう。洗っても落ちそうになかったので、爪切りで切り落とした。

それから少しして志摩子が帰ってきた。

6

「兄貴が帰ってこないということで、僕が探しに行くことになりました。僕は神社に行くふりをして、途中で新聞の包みを拾い、そのまま逢沢川に出ました。そしてもう一枚用意しておいたビニール袋に新聞の包みを入れ、落ちていた石をいっぱいつめて橋の上から落としたんです。見つからないという自信はありませんでした。でもほかに思いつかなかったから……。今まで見つからなかったのは、幸運だったと思います」

ふう、と勇樹は息を吐いた。何もかも吐き出した、その名残のような吐息だった。

「これが、あの夜のできごとです」

勇樹の顔には、もう苦痛の色はなかった。

高間は彼の話を聞き終えたあと、もう一度武志の遺書を読み直した。淡々と書かれてはいるが、武志の苦しみが高間にはよくわかった。

「一つだけ教えてもらいたいんだが、君はなぜあんなメッセージを残したんだい？　マキュウという文字だけど」

すると彼は目を伏せたまま、小さく首をふった。

「今から考えると、余計なことをしたと思います。あの時僕は何とか真相を知る方法がないものかと考えたんです。手がかりは魔球という言葉ですが、僕には見当もつきません。それであんなことをしたんです。ああすれば警察がいろいろと調べてくれるでしょう。その情報を聞けば、僕にだけは真相がわかると思ったんです。兄貴も被害者と思われているかぎり、警察に悟られるおそれはないと思いましたから」

それから勇樹は小さい声で、「どうしてあんなことを考えたのかな」と悔やんだ。

また黙りこんだが、今度の沈黙はそれほど重苦しくはなかった。しゃべることがなくなったので、ひと休みしているという感じだった。少し離れたところで小野がせわしなくメモを取っている。その音が途絶えるのを機に、高間は、

「それで君には真相がわかったのかい？」と尋ねてみた。

少し遅れてから、「ええ」と勇樹は答えた。「わかりました」

「しかし我々にその真相を知られるのはまずいと思った。そこで、犯人が別にいると思わせるため、狂言を思いついたということか」

高間は、包帯を巻いた勇樹の左肩を指差した。「わざわざ自分の身体を傷つけてまで」

「遅かったんですね」と勇樹は頭を振った。「何もかも」

「結果は同じだったと思うがね。ところで聞かせてもらえないかな。君が知った真相というのを」

すると勇樹はけだるい笑みを見せた。

「でも刑事さんだって知っているんでしょ？」

「君の意見を聞きたいんだよ」と高間はいった。「いいだろ？」

勇樹はまた少し黙っていたが、小さく頷いた。

「田島さんの話で、すべてがわかったんです」

「右腕の話だね」

「ええ。北岡さんはたぶん、兄貴の右腕のことを森川先生に相談しようとしたんだと思います。あの夜、北岡さんはそのために出かけたんですよ」

「そのことを君の兄さんは知っていたのかな」

「いえ」と勇樹は首をふった。「知らなかったと思います。兄貴は自分の右腕が悪いことを、北岡さんには口止めしていたはずです。でも北岡さんは、それを隠してまで兄貴に投げさせ続けるのが辛かったんでしょうね。だから先生のところに行くことにしたんです。ただそのことを兄貴に全く断らなかったわけではないと思います。これは僕の想像ですけど、先生に相談に行くという意味のことを書いた伝言を、たぶん石崎神社の境内のどこかに置いていったんじゃないでしょうか?」

高間は頷いた。このあたりは彼の推理とだいたい一致している。

「それで兄貴はその伝言を見て……それを止めさせるために北岡さんを追ったのだと思います。兄貴は……右腕の故障を世間に知られてはまずいと思ったんですよ。そんなことになったら、プロ入りできなくなるでしょうから。そうして、衝動的に殺してしまったんじゃないでしょうか」

いったあとで勇樹は、右手の人差し指と親指で両目の目頭を軽く押さえた。

高間は瞼を閉じ、首を前後左右に曲げた。ぽきぽきと音がした。廊下をまた誰かが走っていく。

「たしかに」といってから彼は瞼を開いた。「武志君は右腕のことを人に知られまいとしていた。少なくともプロ入りするまでは隠し続けるつもりだったようだね」

このあたりのことは、高間は芦原から話を聞いて確認していた。彼も武志の右腕の故障には気づいていたのだ。

「武志君はね、自分の右腕がもう再起しないことを知っていたようなんだ。どうやら彼は、速い球をそれほど多くは投げられなくなっていたらしいんだ。それでも彼はそれを隠してプロ入りする方法を考えた。そのために長い間がんばってきたんだからね。そこで何かほかの武器を得ることで、腕の故障を知られないようにしようとした。その新しい武器というのが、遺書にも書いてあった『魔球』なんだよ。おそらく彼としてはプロで活躍したかっただろうけれど、最悪の場合は契約金だけでも得られればいいと思ったらしいんだね。莫大な契約金を得ることで、君やお母さんに豊かな生活を与えようとしたんだ。これはスカウトの人に聞いた話だけれど、彼は一刻も早くプロ入り契約を済ませたかったようだ。それほど右腕の故障を知られるのが怖かったんだね」

一生右腕が動かなくなっても構わない。ただしプロ入りの契約を済ませるまでは隠す必要がある。自分にとって野球とはそういうものなのだ――これは武志が芦原にいった言葉らしい。自らも身体の障害で夢を断念しなければならなくなった芦原は、ある種の感動を覚えたということだ。そして彼は約束した。何があっても、このことはしゃべらないと。

「武志君は、当然北岡君にも約束させただろう。絶対に右腕の故障のことをしゃべるなとね。だから、北岡君が森川先生に相談に行ったと知った時はショックだっただろう。しかしね——」

高間は言葉を切り、勇樹の顔をじっと見つめた。「武志君はそんなことで殺意を抱くような、低級な人間ではないよ。ただ彼はね、北岡君が自分との約束を守らなかったことは許せなかった。——君は、武志君が少年野球に入っていた頃に、グローブ事件というのがあったことを知っているかい？」

知らないと勇樹は答えた。それで高間は、あの少年野球の監督から聞いた話をした。

「そんなことがあったんですか」と勇樹は呟いた。

「この事件は君の兄さんの強烈な個性を象徴していると思う。彼はね、約束を守らなかった相手に対しては、何らかの報復が必要だと考えていたんじゃないだろうか。この場合はグローブを切り裂くという行為になった。そして今回は、北岡君の愛犬を刺すことで、報復しようとした」

あっと、勇樹は小さな驚きの声をあげた。

「そうなんだ。武志君の狙いは犬の方にあったんだ。たぶん犬を刺して、すぐに逃げようとしたのだと思う。だが北岡君は黙っていなかった。彼を追うと、とっくみあいになったんだ。そしてそのはずみで、武志君の小刀が北岡君の腹を刺してしまったんだ」

高間は、現場付近に格闘のあとがあったことを説明した。

「犬の方が先に刺されていたということは、事件当初からわかっていた。その理由についていろいろと推論が出たけれど、どれもこれもしっくりいくものではなかった。でも、この説明ならわかるだろ？」

高間が話を終えると、またしても部屋は静寂に包まれた。どこかでチャイムの音がする。小学校のチャイムかもしれない。

「兄貴は」

勇樹がぼんやりと窓の外を見ながらいった。「いつも一人だった」

終章

夕方から急に雨になった。高間は傘を持っていなかった。ハンカチを頭に載せて走る。舗装していない道を走ると、跳ね上がった泥でズボンの裾が汚れるが、買ったばかりの上着を濡らすよりはましだ。

目指すアパートに着くと、乱暴に戸を叩いた。大きな声で返事があって、森川が玄関を開けてくれた。

「おう、突然降りだしたな」

「びしょぬれだ。これだから梅雨はまいるよ」

「刑事は歩きまわる仕事なんだろ。傘ぐらい持って出るのが常識だぞ」

「いつもは濡れてもいい服を着ているんだ。ところでウイスキーを買ってきた」

高間は酒屋の袋を差し出した。

「すまんな、ビールは用意してあるんだが」

部屋に上がると、高間は上着をハンガーにかけた。そして森川が出してくれたタオルで頭やズボンを拭き、畳の上にあぐらをかいた。

森川は台所でビールとコップの用意をしている。その背中に高間は、

「ところで、この夏は残念だったな」

と声をかけた。

「夏？　ああ、大会のことか」

少し寂しそうに笑いながら、森川はビールを持ってきた。そして高間のコップに注ぎながら、

「まあ、どうということはない。俺の中でも高校野球は終わった。なかなか楽しい思いをさせてもらったよ。前にもいったかな、こんなふうに？」

「聞いたよ」と高間も森川のコップにビールを注いだ。

開陽高校野球部は、この夏の大会をはじめ、向こう一年間の公式戦を辞退したのだ。度重なる衝撃的な事件で、各方面に多大な御迷惑をおかけした――というのが理由らしい。マスコミ等では例の事件をかなり同情的にとらえていたようだが、結局高野連の判定が出る前に高校側で辞退を決めたのだ。

同時に森川は野球部の監督を辞めた。田島たち三年生も、いつもより少し早く引退したということだ。

「これからは何をするんだ？」と高間は訊いた。

「まだ何も決めていないよ」と森川はいった。

間もなく寿司屋が来て、上寿司の大皿を置いていった。ここの店はネタがいいのだといいながら、森川は卓袱台の上に寿司を置いた。そしてまた高間のコップにビールを注いでくれた。

「ところで彼女から連絡はあったか？」

鉄火巻を口にほうりこんでから高間は訊いてみた。

「手紙が来たよ。一週間ほど前だったかな。今はのんびりしているらしい」

「仕事は？」

「世話になってる叔母さんの家を手伝ってるそうだ。蕎麦を作ってるんだ」

「ふうん」

どういう感想を述べていいかわからず、高間は寿司を食べてビールを飲んだ。

あの事件は様々な人間を悲しみに巻きこんだが、手塚麻衣子もその一人といえた。もしあの夜彼女が武志や北岡に出会わなければ、森川と別れることもなかったのだから。

あの夜麻衣子はここからの帰り、例の堤防沿いの道を自転車で走った。その時最初に見たのが北岡の姿である。彼を後ろから追い越したのだ。

次に彼女は前から歩いてくる人影を見た。初めの証言では、この時彼女は自転車のライトを消していたので、相手の顔はわからなかったといった。だがじつはそうではなかった。自転車のライトは点いていたのだ。そして彼女は相手の顔を見た。野球部の須田武志だった。

事件の直後、彼女だけは犯人を知っていたのだ。しかし彼女はそれを警察にいうべきかどうか迷った。武志も生徒の一人である。何とか彼が自首するよう努めるのが教師の義務ではないかと思えた。彼を単に警察に売るようなことをすれば、偏見の固まりみたいなベテラン教師たちは、目の色を変えて非難するに違いない。やはり若い女の教師は、真剣に教育のことを考えてなどいないのだと。

ではどのように自首を促せばいいか？　直接会って説得することを、彼女はまず考えた。しかし自首しろと命じることは、彼のプライドを傷つけることになりそうな気もした。なるべくなら、自分の意思で自首を決めさせたい。

そんな時あの夜の自分の行動が警察に知れ、尋問を受けることになった。そこで彼女は素晴しい思いつきをした。彼女が武志の顔を見たということが、彼にだけわかるようにすればいいと考えたのだ。その結果が例の証言だった。

『自転車のライトを消していたので相手の顔はわかりませんでした。もしライトを点けていたなら、絶対に相手の顔はわかったはずです』

野球部の田島の話によれば、彼女はこのことを武志本人にもしゃべっている。武志には彼女の嘘がわかったはずだ。そして彼女は自分の顔を見たと確信したに違いない。

これで彼が自首すれば問題はなかった。しかし武志の取った方法は違った。

武志の死体が見つかった朝、麻衣子の家に一通の手紙が届いた。武志からのものだった。そこには次のように書いてあった。

『自分なりのやり方で責任をとります。俺の家族のためにも、例の件、決して口外しないでください。どうかお願いいたします』

嫌な予感がしたが、この時はまだはっきりとは事態の重要性がわかっていなかった。それがわかったのは、出勤して、武志の死を知った時だ。あまりのショックに、彼女はその日早退した。

自分のやり方が間違っていたのかどうか、麻衣子は結論を出せなかった。新たな悲劇を呼び起こしたのだから、正しかったとはいえないだろう。

しばらく休んで考えたいと彼女は思った。森川との結婚を考える余裕はなかった。そんな気にもなれなかった。同じ教師だと思うと、彼の顔を見るのも辛かった。

時間をください――彼女はそういって森川と別れたのだ。

「さて、じゃあそろそろ上映といくか」

寿司を半分食べたところで森川は立ち上がり、押し入れから鞄のようなものを取り出した。蓋を開けると、中には映写機が入っていた。それから八ミリフィルム。今日はこれを見るために、高間はやってきたのだ。

「写真部の奴らがとったんだ。文化祭で映すつもりだったらしいが、そういうわけにもいかんしな。須田のお母さんに差し上げてくれと預かったんだ」

「なるほど」と高間は納得した。

森川は襖をスクリーン代わりにして光の角度を調節し、蛍光灯を消した。焦点を合わせると、襖の表面に『熱球　開陽野球部の闘い』という毛筆文字が大きく浮かび上がった。

まず画面に、見たことのある顔が大写しになった。開陽の校長だ。野球部員を集めて何かいっている。

「甲子園に行く前の激励会だよ」と森川が注釈した。

次にバスの中の部員たちの表情。高間も何度か会ったことのある顔が並んでいる。田島、佐藤、直井、宮本。武志は北岡と並んで座っていた。カメラの方は見ずに、窓の外に目を向けている。北岡は何がおかしいのか、楽しそうに笑っている。考えてみれば、生きている北岡を見るのは、高間にとってはこれが初めてだった。

続いて宿が映り、森川の顔。部員たちは真剣な表情で彼の話を聞いている。試合前の訓示らしい。

「こんなところ撮っていたのか。知らなかったな」

森川は照れたように、ビールを飲みほした。

画面は急に教室内に変わった。校内スピーカーから流れてくるラジオ放送に、生徒たちが真剣な顔つきで聞き入っている。一緒にいる教師は手塚麻衣子だった。彼女の心配そうな顔も大写しになる。

「カメラを四台ぐらい使って、いろいろな表情を撮ったらしい。一台は学校に残ったんだな。で、あとで編集したんだろう」

「そうらしいな」

今度は球場。開陽の打者が三者凡退するところ。ベンチの表情、がっかりする応援団。

突然須田武志のフォームが映った。次に敵の打者が空振りするところ。なかなかよく撮れている。

スコアボードに0の字が並ぶ。

「緊張が蘇ってきたな」と森川がいったのは、開陽が虎の子の一点を奪うシーンだ。四球にエラーが絡み、タイムリーが出て得点する。歓喜するベンチと応援席。学校でも喜んでいる。

このあと武志の快投が続き、スコアボードが九回の裏まで進んだことを示している。味方のエラーが続き、満塁のピンチに立たされる武志。一球、二球と投げこんでいく。ここでまたスコアボード、カウントは二－三だ。

高間はコップを持ったまま身を乗り出した。

画面いっぱいに武志が投げるシーン。続いて打者が空振りし、ボールは転々ところがっていく。それを追う北岡。走者が滑りこむ——。

「ちょっと止めてくれ」

高間がいった。

「止めてくれといっても、もうすぐ終わりだぜ」

「いや、もう一度見たいんだ。武志が最後の球を投げるところまで戻してくれないか」

「それは構わんが」

森川は映写機を逆回しにして、武志が投げる寸前で止めた。「ここからでいいかい？」

「ああいいよ。スローモーションにできるかな？」

「できるよ」

映像がゆっくりと動きだした。武志は振りあげた腕を、大きく振り下ろす——。

「ストップだ」と高間は叫んだ。森川があわてて操作した。映像は投げ終わった直後の武志を捉えている。

「どうしたんだ？」と森川は訊いた。

「武志の顔だ。苦痛に歪んでいるように見えないか？」

「顔？」

森川も腰を浮かせて画面に見入ったが、「よくわからんな。そんなふうに見えないこともないが。これがどうかしたのか？」

「いや」と高間は首をふった。「何でもない。少し気になっただけだ」

「変な奴だな」

森川は映写機を動かした。映像の中の甲子園は、亜細亜学園の劇的な逆転勝ちで沸いている。

高間はビールを飲んだ。掌の中で暖められて、生温くなっていた。

――あの瞬間武志は、右腕に激痛を感じたのではないだろうか？

ぼんやりと白黒の映像を眺めながら、高間は考えていた。芦原の話にもあった。武志はごくたまに、右腕に痺れるような痛みを感じていたようだと。

果たして武志は『魔球』を完成させていたのか？　完成させていて、その威力を信じた上で投げ込んだのか？

――もしかすると……

もしかすると『魔球』はまだ未完成だったのではないかと高間は思った。未完成ではあったが、最後のあの場面で一か八かの試投をしたのではないか？

――そしてその結果……

高間が思い出したのは、芦原が自分の『魔球』についていった言葉だ。彼も指先に障害があって、そのために自分の意思とは関係なく、『魔球』が生まれたのだといった。そして彼はこうもいった。あれは神様の気紛れなプレゼントだったと。

あれもそうではなかったのか？　野球に青春をかけた武志にもたらされた、たった一球だけの『贈り物』だったのでは……。

だが、今はもう誰にも真相はわからない。

映画は終わりに近づいていた。ベンチ前に整列した選手たちの顔が映っている。

武志は空を見上げていた。

彼は空の向こうに何を見ていたのだろう？

それもまた誰にもわからない――。

＊

四月十日（日）

最近になって、よく兄のことを思い出す。おそらく上の子が中学の野球部に入ったせいだろう。彼がユニホーム姿で現われたりすると、私は時々ドキリとさせられるのだ。

あれから二十四年が経つ。

兄の選択が正しかったのかどうか、私は考えないことにしている。兄が最良と判断したのならば、それはそうに違いないのだ。同時に私は、自分の行為についても後悔はしていない。あの時の私には、あれがやはり最良の道であった。

母はすっかり年老いて、今は三番目の孫の相手をして毎日を送っている。腕白ざかりで大変だろうが、それでも楽しそうに見える。

だが私は知っている。母がふと遠くを見る目をすることを。そして彼女が何を見ているのかも知っている。なぜならそれは私が見るものと同じだからだ。これから先、どれだけ時間が経とうとも、それは決して私たちの心から消え去ることはない。永遠に消えないのだ。青春を賭け、命を賭けて、私たちを守ろうとした人がいたことだけは。

——須田勇樹の日記より

■この作品はフィクションであり、特定の団体、および個人とは関係ありません。
なお単行本としては昭和63年7月、小社より刊行されたものです。

解説

権田萬治

学園ミステリーの『放課後』（一九八五年）で江戸川乱歩賞を受賞、颯爽と推理文壇にデビューした東野圭吾は、スポーツに打ち込む若い世代の清新な肖像を描くのを得意としている。受賞第一作の『卒業』（八六年）では、学生剣道選手権大会で二年連続優勝した大学生の加賀恭一郎らを登場させ、『鳥人計画』（八九年）では、職業人スキー・ジャンパーの群像を描いているが、この『魔球』（八八年）は、高校野球の選手が次々と殺される奇怪な連続殺人事件を扱った野球ミステリーの文句なしの秀作である。

四月十日の早朝、堤防沿いの道で開陽高校野球部の捕手北岡明が刺殺死体となって発見された。

奇怪なことに、その死体の傍らに、愛犬の死体も横たわっていたのだ。

直ちに警察の捜査が開始され、捜査対象の一人に同野球部の投手須田武志が浮かび上がった。須田武志は、天才投手として有名で、彼の剛速球をちゃんと捕れるのは北岡だけだった。

だが、その問題の須田武志が何と林の中で、刺殺死体となって発見されたのだ。

しかも、右腕を切断され、死体の右の地面には、小枝で書かれた意味不明の文字が残されていた。

マキュウ、魔球とそれは読めた。

一体、魔球とは何か？ そして犯人はだれか？

やがて、事件と電機メーカーの爆破未遂事件との関連が追及されるが……。

野球ミステリーの試みは、ロバート・パーカーの『失投』、リチャード・ローゼンの『ストライク・スリーで殺される』、ポール・エングルマンの『死球』、ウィリアム・G・タプリーの『狙われた大リーガー』など海外の例のほか、国内でも、佐野洋、三好徹、伴野朗、新宮正春などの例があり、それ自体は珍しくない。

しかし、『魔球』のように高校野球を扱った作品となると、数が限られる。わずかに、この作品の直後に発表された、江戸川乱歩賞を受賞した坂本光一の『白色の残像』くらいのものである。

そして、敢えてこの二つを比較すれば、断然、『魔球』が優れている、と私は思う。

もともと、東野圭吾の作品には、青春推理小説の持ち味がある。

作者は高校生の時初めて読んだ、小峰元の青春ミステリー『アルキメデスは手を汚さない』で、推理小説の魅力にとりつかれた、と述べている。そういう初体験が、氏のミステリーに影響を与えたのか、東野圭吾の推理小説は、高校生や大学生や若い職業人が活躍するものが多いのである。

そして『魔球』の魅力は、謎解きの面白さはもちろんだが、何といっても、若き天才投手須田武志の個性的な肖像を鮮やかに浮彫りにしている点にあるといえるだろう。

須田武志は、天才にありがちな、いささかぶっきらぼうで、取っつきにくい、ある面では、傲慢不遜にも受け止められそうな態度が見える。

また、何かやられたら、必ず仕返しをする、執念深く、暗く、いささか異常な所があるし、高校三年生のアマチュア選手なのに、プロを目指し、金銭にこだわる一面もある。

表面的には、何ともいやな奴だ、という気にさせられる性格なのだが、どうして、武志がそんな屈折した性格になったのかがストーリーの展開と共に、やがて明らかになって行く。

その時、武志の心の中に潜む、やり場のない怒りと哀しみ、そして母親への優しい愛が理解できるのである。

武志は、夫を早く亡くした後、女手一つで苦労して自分と弟の勇樹を育ててくれた母親に深い感謝の念を抱いている。武志の高校生らしくない金銭感覚も、実はそういう愛に根ざしたものであることがわかるのである。

この『魔球』でもそうだが、『卒業』でも、作者は、母親が蒸発し、警察官の父親と暮らす加賀恭一郎に共感を寄せているように見える。

貧しくても、必死に生きようとする人間に対する優しい眼差しがこの作品を奥行の深いものにしているのである。

『魔球』の第二の殺人事件、つまり武志が殺される事件では、右腕切断という残酷な設定になっているが、こういう残酷さを和らげるのは、やはりこういう著者の優しい眼差しであり、それがこの作品の救いになっているともいえるだろう。

さて、この作品の謎解きの部分では、第二の殺人事件で使われている「マキュウ」というダイイング・メッセージに新しい着想が生かされている点に注目したい。

ダイイング・メッセージというのは、文字どおり、死に際のメッセージということで、瀕死の重傷を負った被害者が、死ぬ間際に、最後の力をふり絞って、犯罪に関する何らかの手掛かりを伝えようとするメッセージのことである。

メッセージというのは、ホテルなどで伝言という意味でよく使われるが、要するに伝えたい内容である。ところが、死にかけた被害者には、それを完全に伝える力が残されていない。そのため、そのメッセージの内容は、不完全で、それだけでは一体何を意味するのか周囲の人にはわからないのである。

つまり、ダイイング・メッセージは、推理小説の中では、暗号トリックの一種として使われるのである。

そしてその謎を解くことが、同時に事件の謎を解くことにもつながるわけである。

こういうダイイング・メッセージをテーマとするミステリーを多く残したのは、アメリカの本格派の巨匠エラリー・クイーンだった。

バーナビイ・ロス名義の『Xの悲劇』(一九三二年)は、その代表作だが、この作品の中で、作者は名探偵のドルリー・レーンにダイイング・メッセージについて、こんなふうにいわせている。

「このように——死の直前の比類のない神々しいような瞬間、人間の頭の飛躍には限界がなくなるのです」

クイーンは長編『シャム双生児の秘密』や短編の「白砂糖」や「GI物語」などでも、ダイイング・メッセージを扱っているし、新しい試みとしては、エドワード・D・ホックの『大鴉殺人事件』（六九年）などもあるが、このダイイング・メッセージの問題点は、とかく無意味な語呂合わせに終わることが多い点である。

その点、『魔球』で使われているものは、厳密な意味でのダイイング・メッセージではないともいえるが、それだけに、これまでの数多いダイイング・メッセージを取り入れた作品の中で、最も不自然さが少なく、また、その意味が、題名にもなっているように、武志の人生にかかわる深い意味を帯びている点が印象的である。

もう一つ、この『魔球』で感心させられるのは、二つの事件ばかりでなく、電機メーカーでの爆破未遂事件、さらに、その社長への脅迫・誘拐の企てなどについて、巧みな伏線を張りめぐらせて、それぞれの事件の動機などについても、きちんと説明をしていることである。

推理小説は、不可解な、恐怖を感じさせるような謎が次第に解かれて行くサスペンスとパズル性に最大の魅力があることはいうまでもない。

しかし、同時に、ミステリーが推理小説といわれるものである限り、単にパズル的興味だけでは成り立たない。そこに登場する人間の人生の軌跡が浮彫りにされ、結末に謎の解決を超える、一つの感銘がなければ、それはパズルであって、小説ではない。

フィリップ・ヴァン・ドーレンは「袋小路の死体事件」という評論で、探偵小説は文学とは何の関係もないという主張に疑問を呈し、「今日の探偵小説の欠点は、それが文学的価値を欠いているということである。それは単なる計算を超えて、より高い美学的努力の分野へと昇ってゆかねばならない」と述べている。

私は、ミステリーが基本的にエンターテインメントであることは否定しないが、優れた推理小説は、謎解きの面白さと同時に小説的な魅力を併せ持つべきであると考えている。

そして東野圭吾の『魔球』は、そういう二つの要素を見事に融合した傑作だと思うのである。

「兄貴はいつも一人だった」

結末近くでもらすこの勇樹の呟きの中に、たった一人で人生と戦い、勝ち抜こうとして、死んで行った兄・武志への哀しい鎮魂の祈りがこめられているようである。

作者東野圭吾の人間的な優しさが見事に結晶したこの『魔球』を是非、多くの人に読んでもらいたいと思う。

（評論家）

|著者| 東野圭吾　1958年、大阪府生まれ。大阪府立大学電気工学科卒業後、生産技術エンジニアとして会社勤めの傍ら、ミステリーを執筆。1985年『放課後』（講談社文庫）で第31回江戸川乱歩賞を受賞、専業作家に。1999年『秘密』（文春文庫）で第52回日本推理作家協会賞、2006年『容疑者Xの献身』（文春文庫）で第134回直木賞を受賞。近著に『新参者』『麒麟の翼』（ともに講談社）、『真夏の方程式』（文藝春秋）、『マスカレード・ホテル』（集英社）などがある。

魔球《まきゅう》
東野圭吾《ひがしのけいご》

1991年6月15日第1刷発行
2011年10月7日第64刷発行

講談社文庫
定価はカバーに
表示してあります

発行者――鈴木　哲
発行所――株式会社　講談社
東京都文京区音羽2-12-21　〒112-8001
電話　出版部（03）5395-3510
販売部（03）5395-5817
業務部（03）5395-3615
Printed in Japan

デザイン―菊地信義
製版――株式会社廣済堂
印刷――豊国印刷株式会社
製本――株式会社若林製本工場

ISBN4-06-184931-X

講談社文庫刊行の辞

二十一世紀の到来を目睫に望みながら、われわれはいま、人類史上かつて例を見ない巨大な転換期をむかえようとしている。

世界も、日本も、激動の予兆に対する期待とおののきを内に蔵して、未知の時代に歩み入ろうとしている。このときにあたり、創業の人野間清治の「ナショナル・エデュケイター」への志を現代に甦らせようと意図して、われわれはここに古今の文芸作品はいうまでもなく、ひろく人文・社会・自然の諸科学から東西の名著を網羅する、新しい綜合文庫の発刊を決意した。

激動の転換期はまた断絶の時代である。われわれは戦後二十五年間の出版文化のありかたへの深い反省をこめて、この断絶の時代にあえて人間的な持続を求めようとする。いたずらに浮薄な商業主義のあだ花を追い求めることなく、長期にわたって良書に生命をあたえようとつとめるところにしか、今後の出版文化の真の繁栄はあり得ないと信じるからである。

同時にわれわれはこの綜合文庫の刊行を通じて、人文・社会・自然の諸科学が、結局人間の学にほかならないことを立証しようと願っている。かつて知識とは、「汝自身を知る」ことにつきていた。現代社会の瑣末な情報の氾濫のなかから、力強い知識の源泉を掘り起し、技術文明のただなかに、生きた人間の姿を復活させること。それこそわれわれの切なる希求である。

われわれは権威に盲従せず、俗流に媚びることなく、渾然一体となって日本の「草の根」をかたちづくる若く新しい世代の人々に、心をこめてこの新しい綜合文庫をおくり届けたい。それは知識の泉であるとともに感受性のふるさとであり、もっとも有機的に組織され、社会に開かれた万人のための大学をめざしている。大方の支援と協力を衷心より切望してやまない。

一九七一年七月

野間省一

講談社文庫　目録

早瀬詠一郎　つげの箸〈裏十手からくり草紙〉
早瀬　乱　三年坂 火の夢
早瀬　乱　レイニー・パークの音
初野　晴　1/2の騎士
原　武史　滝山コミューン一九七四
濱　嘉之　警視庁情報官〈シークレット・オフィサー〉
濱　嘉之　警視庁情報官 ハニートラップ
橋本　紡　彩乃ちゃんのお告げ
馳　星周　やつらを高く吊せ
早見　俊　双子同心捕物競い
平岩弓枝　花嫁の日
平岩弓枝　結婚の四季
平岩弓枝　わたしは椿姫
平岩弓枝　花祭
平岩弓枝　青の伝説
平岩弓枝　青の回帰(上)(下)
平岩弓枝　青の背信
平岩弓枝　五人女捕物くらべ(上)(下)
平岩弓枝　はやぶさ新八御用帳(一)〈大奥の恋人〉

平岩弓枝　はやぶさ新八御用帳(二)〈江戸の海賊〉
平岩弓枝　はやぶさ新八御用帳(三)〈又右衛門の女房〉
平岩弓枝　はやぶさ新八御用帳(四)〈鬼勘の娘〉
平岩弓枝　はやぶさ新八御用帳(五)〈御守殿おたき〉
平岩弓枝　はやぶさ新八御用帳(六)〈春月の雛〉
平岩弓枝　はやぶさ新八御用帳(七)〈寒椿の寺〉
平岩弓枝　はやぶさ新八御用帳(八)〈春怨 根津権現〉
平岩弓枝　はやぶさ新八御用帳(九)〈王子稲荷の女〉
平岩弓枝　はやぶさ新八御用帳(十)〈幽霊屋敷の女〉
平岩弓枝　はやぶさ新八御用旅(一)〈東海道五十三次〉
平岩弓枝　はやぶさ新八御用旅(二)〈中仙道六十九次〉
平岩弓枝　はやぶさ新八御用旅(三)〈日光例幣使道の殺人〉
平岩弓枝　はやぶさ新八御用旅(四)〈北前船の事件〉
平岩弓枝　新装版 おんなみち(上)(中)(下)
平岩弓枝　極楽とんぼの飛んだ道〈私の半生、私の小説〉
平岩弓枝　ものは言いよう
平岩弓枝　老いること暮らすこと
平岩弓枝　なかなかいい生き方
平岡正明　志ん生的、文楽的

東野圭吾　放課後
東野圭吾　卒業〈雪月花殺人ゲーム〉
東野圭吾　学生街の殺人
東野圭吾　魔球
東野圭吾　浪花少年探偵団
東野圭吾　しのぶセンセにサヨナラ〈浪花少年探偵団・独立編〉
東野圭吾　十字屋敷のピエロ
東野圭吾　眠りの森
東野圭吾　宿命
東野圭吾　変身
東野圭吾　仮面山荘殺人事件
東野圭吾　天使の耳
東野圭吾　ある閉ざされた雪の山荘で
東野圭吾　同級生
東野圭吾　名探偵の呪縛
東野圭吾　むかし僕が死んだ家
東野圭吾　虹を操る少年
東野圭吾　パラレルワールド・ラブストーリー
東野圭吾　天空の蜂

宮尾登美子　東福門院和子《まさこ》の涙
宮尾登美子　新装版天璋院篤姫（上）（下）
宮尾登美子　新装版　一絃の琴
皆川博子　冬の旅人（上）（下）
宮崎康平　新装版　まぼろしの邪馬台国　第1部・第2部
宮本　輝　朝の歓び（上）（下）
宮本　輝　ひとたびはポプラに臥す1〜6
宮本　輝　新装版二十歳《はたち》の火影《ほかげ》
宮本　輝　新装版命の器
宮本　輝　新装版　避暑地の猫
宮本　輝　新装版　ここに地終わり　海始まる（上）（下）
宮本　輝　新装版　花の降る午後（上）（下）
宮本　輝　新装版　オレンジの壺（上）（下）
峰　隆一郎　寝台特急「さくら」死者の罠
宮城谷昌光　俠骨記
宮城谷昌光　夏姫春秋（上）（下）
宮城谷昌光　花の歳月
宮城谷昌光　重耳《ちょうじ》（全三冊）
宮城谷昌光　春秋の色

宮城谷昌光　介《かい》子《し》推《すい》
宮城谷昌光　孟嘗君　全五冊
宮城谷昌光　春秋の名君
宮城谷昌光　子産（上）（下）
宮城谷昌光他　異色中国短篇傑作大全
水木しげる　コミック昭和史1〈関東大震災〜満州事変〉
水木しげる　コミック昭和史2〈満州事変〜日中全面戦争〉
水木しげる　コミック昭和史3〈日中全面戦争〜太平洋戦争開始〉
水木しげる　コミック昭和史4〈太平洋戦争前半〉
水木しげる　コミック昭和史5〈太平洋戦争後半〉
水木しげる　コミック昭和史6〈終戦から朝鮮戦争〉
水木しげる　コミック昭和史7〈講和から復興〉
水木しげる　コミック昭和史8〈高度成長以降〉
水木しげる　総員玉砕せよ！
水木しげる　敗走記
水木しげる　白い旗
水木しげる　姑娘《クーニャン》
宮脇俊三　古代史紀行
宮脇俊三　平安鎌倉史紀行

宮脇俊三　室町戦国史紀行
宮脇俊三　徳川家康歴史紀行5000き
宮部みゆき　ステップファザー・ステップ
宮部みゆき　震える岩〈霊験お初捕物控〉
宮部みゆき　天狗風〈霊験お初捕物控㈡〉
宮部みゆき　ICO《イコ》—霧の城—（上）（下）
宮部みゆき　ぼんくら（上）（下）
宮部みゆき　新装版　日暮らし（上）（下）
宮子あずさ　看護婦が見つめた人間が死ぬということ
宮子あずさ　看護婦が見つめた人間が病むということ
宮子あずさ　ナースコール
宮本昌孝　夕立太平記
宮本昌孝　おねだり女房〈影十手活殺帖〉
皆川ゆか　機動戦士ガンダム外伝〈THE BLUE DESTINY〉
皆川ゆか　新機動戦記ガンダムW（ウイング）外伝〜右手に鎌を左手に君を〜
三浦明博　滅びのモノクローム
三好春樹　なぜ、男は老いに弱いのか？
見延典子　家を建てるなら
道又　力　開封　高橋克彦

2011年9月15日現在